2015.9.7

伊勢隆一郎

はじめに……誰でもお金と時間と場所に縛られない働き方ができる

いま、良く晴れた昼下がりのハワイで、この一文を書いています。

裸足《はだし》で公園の芝生に座り、ノートパソコンにタイピングをしています。モデルのような体形をした欧米人女性や億万長者らしき中国人たちが、不思議そうな顔で私を眺めています。

海外のリゾート地のビーチを歩くブロンド美人を横目に、エメラルドグリーンの海に足だけポチャンとつけながら、カクテルを片手に仕事をすることもよくあります。大好きな人と一緒に温泉に入りながら、日本酒を片手にワイワイガヤガヤお金儲《もう》けの話をするのも日常茶飯事です。

ですが、いまこうしている間にも、私の銀行口座の残高は10万円単位で増え続けています。そんな生活をしているにもかかわらず、黙っていても不労所得が転がり込んできます。

私の仕事の拘束時間は1日わずか2時間。

しかも、好きな人と『だけ』仕事をしています。好きな場所で、好きな人とだけ仕事をして、そしてお金にまったく縛られない人生を歩んでいます。

「ムカつくな」

「嘘くさいな」

と、思われる方もいるかもしれませんが、少しだけ我慢して次の一文を読んでみてください。

なぜなら、数カ月後……あなたはただこの本を読むだけで、お金と時間と場所にまったく縛られない生き方ができるようになるからです。

あなたが忙しいサラリーマンでも主婦でも学生でもニートでも引きこもりでもまったく問題ありません。誰でも、どんな人でも、お金と時間と場所に縛られない働き方を手に入れることができる、現実的かつ科学的なノウハウを教えます。

ただ、これだけは注意して読んでください。

私は普通という言葉が世界一似合うほど平凡な男です。カリスマ性ゼロ、オーラなし、いつもボソボソとした声でしゃべるので、他人から「もう1回言ってくれる？」と何度も聞き返されます。

ありきたりなストーリーだと感じるかもしれませんが、私はかわいそうなくらい平凡です。いつも周りの才能ある人たちを見て嫉妬《しっと》していますし、弱さや汚さも腐るほど持ち合わせています。

格好が悪いのでこんな話はしたくないのですが、実は私は起業してから1年半収入がありませんでした。1年半という長い月日の間、収入がゼロだったのです。

周りの友人には「起業した」「社長になった」と自慢していましたが、実は収入がまったくなかったのです。

では、そんな状態でどうやって生活していたかというと、両親にご飯を食べさせてもらっていました。実家に住まわせてもらっていたのです。つまり起業なんて名前だけで、早い話が1年半もニートだったのです。

いまでは億を稼いだなどと格好をつけていますが、私はずっとニートだったのです。成人してからずっと親にご飯を食べさせてもらって名刺だけ偉そうに代表を名乗っていたのです。


名ばかりの起業をして1年半が経ったころ、実の姉が転職活動から帰って来るなりいきなり私に怒鳴りつけてきました。

「あんたの存在が恥ずかしい！」

と、いきなり『存在を否定』されたのです。


私の姉は幼いころから「超」がつくほど優秀で、勉強でも芸術でもいつもトップクラスでした。いつも素晴らしい友人に囲まれて、若くしてマンションを購入するほどの貯金をしたり一流企業からも必要とされたりする人材でした。

子どものころからバカ、アホ、ドジ、能無しと言われていた私は、そんな姉が羨《うらや》ましくてしかたがありませんでした。同じ親から生まれたのになんでこんなに差があるのか恨《うら》んだこともあります。

しかし、姉はいつも私に優しくしてくれました。おそらく能無しの弟がかわいそうで哀れんでくれていたのだと思います。お小遣いをもらうことはよくありましたが、怒られることはほとんどありませんでした。

そんな姉が転職活動から帰って来るなりいきなり大声で怒鳴り出し、そして私の存在を「恥ずかしい」と言うのです。

理由は転職活動の面接のときに、

「弟さんは何をしていますか？」

と、聞かれたことが原因でした。

「はい、弟はニートで自宅でゴロゴロしています」

などと言うわけにはいかず狼狽《ろうばい》してしまい、その面接がうまくいかなかったそうです。姉はそのとき初めて、私がニートであることに強い危機感を持ち始めました。

このまま一生、弟がニートのままだと面接も不利になるし、年老いた両親だけでなく弟の面倒も見なければいけない。もしかしたら結婚にも差し支えがあるかもしれない。もし結婚できたとしても、自分や旦那がこのできの悪い弟を一生面倒見なくてはいいけないのか。

そう思ったようでした。ここまで極端な発想をさせてしまうほど、私には能力も希望もなかったのです。


その後、あまりに私がだらしないせいで母親は体調を崩してしまいました。

親戚や近所のスーパーで会う同級生の母親たちに、「息子さんはどうされているのですか?」と聞かれ、白い眼で見られるのが耐えられなかったのです。

「私の育て方が悪かったんだ」

と、母親は自分を責めたのだと思います。


家に居られなくなった私は、大学時代からの友人の引っ越しを手伝った際に、

「しばらくこの家に居てもいいかな?」

と、強引に告げて、恐ろしいことにそのまま3年間居候《いそうろう》を続けました。3年間も友人に住む場所を提供してもらっていたのです。約1年が経ったある日、友人はとても言いづらそうに、

「悪いんだけど、少し家賃を負担してもらってもいいかな？　光熱費分だけでもいいので」

と、言いました。本来自分から言うべきことにもかかわらず、私は1日100円で生活していた貧困状態を言い訳に、約1年も友人のスネをかじって生きていました。さらに、恥ずかしい話ですが、すでに経営者として自立し成功の道を歩み始めているこの友人に嫉妬の気持ちすら抱いていました。そんな恩知らずな人間が成功できるわけがない、といまでは思います。

友人に恋人ができたときは、自分から家を出るべきにもかかわらず、実家に帰らなければならない事態を恐れそのまま居座り続けました。さらに、友人の恋人がつくってくれる手料理を美味《おい》しくいただいて、「次はいつ来るのかな？」などと手料理を楽しみに毎日を過ごしていました。

昔の私と同じ生活をしている人をいまの私が見たら、「この人は成功しないだろう」と100％思うことでしょう。誰がどう見ても将来成功する見込みがない人、それが私でした。

そんな最低な人間だった私ですが、いま現在は、お金と時間と場所に縛られない自由な働き方を手に入れることができました。

「なんでそんなに平凡で、いまでもオーラもなく、ボソボソとしか話せないのに成功することができたのですか？」

と、多くの人に尋ねられます。それはこのひと言に集約されます。


『究極の理解』


このスキルを手に入れたときから人生が一変しました。

この本では、私が12時間で5億円の申し込みをいただいた経験から気づいたこと、人の悩みを知る『究極の理解』の方法について解説していきます。もしこれらのことを実践すれば、あなたも人から感謝され、永遠に稼ぎ続けることができるメソッドを手に入れることができます。

このスキルは誰にでも即座に真似《まね》できます。

だから私はつい最近までこの秘密を誰にも話しませんでした。なぜなら真似されたら多くの人が成功してしまい、私は蹴落《けお》とされ、また昔のみじめな生活に戻ってしまうのではないかと思うと怖かったからです。

でも、今回、すべてお話しします。束縛される人生からお金と時間の自由を勝ち取ったテクニック『究極の理解』をあなたに伝授します。

この本は、もともと才能があった人、家庭環境に恵まれていた人、お金持ちの家に生まれた人などが書いたありきたりの成功本ではありません。彼ら成功者の話は参考になりますが、しょせん私たちとはスタートラインが違いすぎるので真似することができません。再現率がとても低いのです。

この本は、世界一平凡すぎる男が書いた成功法則なのです。

「いままで成功法則の本やビジネス本を読んだけどなぜか成功できない……」

そんなあなたに読んでもらいたいと思っています。

次の1行を読み始めた瞬間から……あなたの脳はフル回転を始め、体中の細胞が若返り始め、平凡な人間がお金と時間と場所に縛られない自由な生き方ができるノウハウが自動的にインプットされ始めます。

お金と時間と場所に縛られず、私たちは自由に働くことができます。

新しいあなたに出会うのは、もうすぐです。

伊勢隆一郎

お金と時間と場所に縛られず、僕らは自由に働くことができる。

目次

第3章 あなたが自由に働くために必要なマインド　115

第5章 あなたもお金と時間と場所に縛られない働き方ができる …… 203

第1章

誰だってお金を稼ぎたいし、現状から抜け出したい！

いまのままじゃ、国も会社も助けてくれず年収300万円に!?

誰もが認めるところですが、現代は不安な時代です。お金の不安、仕事の不安、家族の不安、精神の不安……。不安を数えたらキリがありません。

たしかに、私がまだ子どものころは、世の中にもっと活気があった気がします。人も明るくて、くったくない感じだったように思います。

テレビなどを見ていても、いまやっていることに比べるとレベルは低いけれど、底抜けなポジティブさと勢いがあったように思います。

私が小学生くらいまでは、世の中はまだまだこれからどんどん良くなっていくのだろうという期待が持てた時代だったのだと思います。

それがいまでは、何か社会全体に暗い影が落ちているような、冷たい感じがします。単に景気が良い悪いというのではなく、息が詰まるような閉塞感《へいそくかん》とでも言うのでしょうか。とにかく居心地が悪い、不安だらけの世の中になりました。

人は未来に希望が持てなくなると鬱病《うつびょう》になるそうですが、いまや鬱病を治療する心療内科は2カ月先まで予約が取れないほどの患者さんを抱えています。

原因はいろいろあると思います。

そのなかでも大きい原因は、国や自治体などのひどい台所事情が見えてきて、私たちの生活の基盤が崩れかけているという不安があると思います。

国は、払えるはずもない年金を「払える」と言い張っています。政治家は「景気回復」と、もう10年以上言い続けていますが状況は悪くなるばかりです。成長する希望が持てず、大企業は投資をすることなく現金をため込んでいるので、お金が世の中に回りません。

とにかく明るい未来が見えないので、皆、言い知れない不安に包まれているわけです。

国があてにならないなら、せめて所属している組織は安泰であってほしいところです。しかしいまどき、もう会社もあてになりません。

私たちの年代が就職活動をしていたときは「一生安泰」と言われていた人気のブラ

ンド企業でさえ倒産の危機が噂《うわさ》されるほど元気がありません。電気メーカー、テレビ局、出版社、広告代理店など挙げればキリがありません。

たったの10年でこの変化です。大企業神話を信じていなかった私たちの世代ですら、正直、信じられない気持ちです。

昔からのブランド企業だけではありません。

ギラギラとした若者たちに人気があった新興ＩＴベンチャー企業もその多くは姿を消しています。いま、元気のある企業も10年後はまったくわからない状況だと思います。

もうこれ以上、日本も世界も、現状より良くなっていくということはないのではないかと思います。

もしかしたら、オリンピックの開催や、中国人をはじめとする外国人が日本に大量移住することにより多少の景気変動はあるかもしれません。しかし、一時期的なバブルが起こるかもしれませんが、少なくとも、長期的なスパンで言えば、社会環境は悪くなっていく一方だと思います。

働く人、1人ひとりが、自分のビジネスを持って自立すべきだと私が言うのも、こういった社会背景があるからです。

もはや、会社で働いていれば給与はどんどん上がっていく時代ではないということです。いまはどんなに長く勤めても給料据え置きは当たり前になりました。

実際、30代、40代になっても、20代の若者となんら変わらず、同じ仕事で給料も300万円以下という人がすごく増えています（20代はずっと同じ状況のままということです）。

私たちの親の世代は、信用のある会社で働いて住宅ローンを組んで家を持てば自然と資産を手にすることができました。

土地が勝手に値上がりしていたためです。家を持つことこそが、団塊世代の黄金の資産運用方法だったのです。

しかし、時代は変わってしまいました。住宅ローンを組んで家を持っても、土地は値上がりしないし、むしろローンの支払いが生活を圧迫し、ローンを払うために生きているような虚《むな》しさがあります。ローンがあるせいで、嫌な仕事も辞められず鬱病になってしまう人もいます。家を持ったために、家計が苦しくなり雰囲気がぎすぎすして家族から笑顔が消えてしまう、そんな本末転倒なことが起きています。

国も会社も守ってくれない、もはや、自分のことは自分でなんとかするしかない時代になったのです。

その有効な手段が起業だと思います。

〝インターネットビジネスで起業〟などと言うと、がつがつ稼いで贅沢《ぜいたく》な暮らしを夢見ている若者たちの専売特許というイメージがあるかもしれません。しかし私は、インターネットビジネスは起業の1つの形にすぎないと思います。

別にネットビジネスではなくても、1人でビジネスを立ち上げ、お金や時間に縛られない働き方をすることは可能です。

しかも、飲食店やアパレルなど莫大《ばくだい》な初期投資や在庫を持たずに起業できる方法はオフラインでもたくさんあります。オンライン、オフラインを問わず収入を得る方法はいくらでも存在しています。

実際に、私のセミナーを必要としてくれているお客様は、贅沢な暮らしをしたいとか、日本一の企業をつくりたいといった大それたことは考えていなくて、置かれている現状を変え、自由な働き方と自分らしい生き方を手に入れようとしている「普通の人たち」なのです。

8割方の人は、現状の不安や不満から抜け出したい

私のセミナーに来る人は、だいたい2つのタイプに分かれます。

1つ目のタイプは「現状打破型」です。

職業は、普通の会社員や零細企業を経営されている人などさまざまですが、共通しているのは、将来に不安を持っていて、安心して生活できる未来をつかみたいと思っている人たちです。

20代、30代の比較的に若い人たちだと、月収30万円もいかなくて、年収300万円

くらいのボリュームの人がとても多く、しかも将来にわたって収入が増えていく見込みがありません。

職場には、40代、50代の先輩がいて、その人たちも自分たちとなんら変わらない労働環境で働き、同じ水準の給料なのです。

このまま、10年、20年と、ずっと同じ作業を続けて給料が上がることもないのだと思ったら、どうしたって仕事に意欲がわかないし、将来への不安を抱えてもしかたありません。

加えて、自分たちの年代は年金があてにならないことがわかっています。個人年金に入りたくても生活はきつく、積み立てに回す余裕はありません。

いまはまだ若いから、そんなにお金もいらないけれど、将来、お金の問題で苦労しそうだなというのはもう目に見えているわけです。

その人たちは、会社をあてにしても状況は何も変わらないことをわかっています。だから、現状を変えるには自分で道を切り拓《ひら》くしかないと思って、私のセミナーの門を叩《たた》いたのです。

億を稼いで、フェラーリに乗って、ペントハウスに住んで、好きなときに海外に行く、というような人も以前はたしかにいましたが、いま、起業の世界に入ってくる人たちは、良い意味で堅実です。

多くを望んでいるのではなく、いまの給料プラス20万、30万円の収入があればいいなという希望を持っている人たちです。

もう1つのタイプは「やりがい探求型」です。

お金が欲しいというのもあるけれど、それよりも、いまの仕事や自分の立場に不満がある人です。

仕事がつまらない、働いていて楽しくない、毎日の勤務が苦痛でしかたなく、将来的にも環境が変わる見込みもない。そんな現状を脱して、もっと自分だけの、自分しかできない仕事、人に認められる仕事がしたいという希望を持っています。

いまの仕事や職場の人間関係に不満があるけれど辞めてしまうと生活ができない。それなりに給料をもらっていれば我慢もできますが、実際には、そんなに恵まれた生活をしているわけではなく、むしろ安い給料に甘んじている例がとても多いのです。

そんな自分の境遇と比較して、うまくやっている人たちの存在を身近に感じられるのがいまの時代の特徴です。

たとえば、フェイスブックのタイムラインを見ていると、「海外の高級ホテルでバカンスをしている写真」や「今度どんなビジネスを立ち上げます」とか「高級レストランで食事をしてきました」とか、そういった情報が日常的に入ってきて、自分との差を感じてしまうわけです。

自分だってもっと活躍したい、成長したい、認められたい。けれど、いつまで経ってもチャンスはこない。そうであれば、自分で起業をするという選択肢が頭に浮かんできます。

また、真面目に働いて能力の高い人ほど、仕事を押しつけられて忙しく、精神的に追い詰められているという現状もあります。

人に頼まれると嫌とは言えず仕事を抱えてしまう人、責任感が強く結果を出さなければならないと一生懸命になってしまう人、そんな人ほど苦しんでいます。人に頼るのが苦手な人も、精神が壊れてしまうまで無理をしてしまい気づけば鬱病になっています。

追い詰められて、燃え尽きて、ふと立ち止まったときに虚しさに襲われて、「なぜ、いまの仕事をしているのか？」の答えが見いだせなくなっている人がたくさんいます。それなら、自分でやりがいのある仕事をしようと考え、私のセミナーを訪れる人たちが非常に多くいるのです。

いま、起業を目指している人たちは、そんな、どこにでもいる普通の人たちなのです。

なぜ多くの人は現状から抜け出せないのか？

自分の現状を変えたいという気持ちは、多くの人たちが持っています。

朝起きた瞬間から何となく気持ちが落ち込んで憂鬱《ゆううつ》な気分になる人のほうが、朝起きた瞬間からやる気満々の人よりもはるかに多いと思います。気分が乗らないけれど、仕事に行かなくてはならないから支度をして家を出る。そして満員電車の混雑にイライラしながら自分を殺して会社に向かう。ふとそんな瞬間に、「自分の人生はこれでいいのだろうか？」「このまま人生が終わってしまっていいのだろうか？」という疑問が頭をよぎることもあると思います。

男性だけではありません。

働く女性も育児や家事に専念している女性でも、男性以上にきついかもしれません。毎日やらなければならないことが多く、気苦労も多いと思います。

しかし、世の男性の多くはそんな大変さを認めようともしてくれません。それでも毎日、我慢をして頑張っているのですが、ふとした瞬間に我慢の限界に達して「自分の人生はこれでいいのだろうか？」と思うことがあるはずです。

だから、起業のための勉強をしたりセミナーに参加する人たちがどんどん増えているのだと思います。

多くの人は、将来が不安で、我慢の生活をしていて、本当はもっと自由に働きたいと願っています。

しかし、起業を目指しても実際に「目的へと向かって動ける人」と、「現状にとどまり続ける人」がいます。

はたして、その違いはどこにあるのでしょうか。

まず、動けない人から見てみましょう。

現状に不満や不安があって勉強をしたりセミナーに参加をしていても、その現状を変えるための行動が取れない人には、いくつかの特徴があります。

まず1つ目の特徴は「起業のための準備や勉強をしていることに満足してしまう」という傾向です。

同僚が家に帰ってビールを飲みながらテレビを見ているような時間に、セミナーや勉強会に通っていると、何だかそこでもう一歩先を行ったように感じてしまうものです。

しかも、勉強会に通っていると、会社をうまく経営している人や、それこそエスタブリッシュメントなど、割とイケてる人たちと知り合ったりします。だから、何となくそれだけで優越感を持ってしまって、そこで満足してしまうというパターンが意外に多いのです。

これと似た感じで、ノウハウコレクターといったらよいのか、とにかく学ぶことにはまってしまって、新しい知識を得ることとか、新しい技術を得ることに喜びを感じて「ひたすら自己研鑽《けんさん》に励む」という人も少なくありません。

そういう人たちの場合、起業して自分の仕事を持つとか、サラリーマンでは得られない財産を得るというのがゴールではなく、学ぶことそのものが目的になってしまっています。

しかし、逆に言えば、勉強しただけで満足できてしまうということは、「いますぐ結果を出さなくても死なない幸せな環境にある」とも言えます。追い込まれていない分だけ幸せだとも思うのです。

しかし、その恵まれている環境が、見方を変えると、成功の大きな障害になってしまっているのも事実です。

もう少し、なぜ8割の人が起業を目指しても行動できないのかについてお話ししたいと思います。

人は「いますぐやらなければならないこと」は自然とやることができます。言い換えれば、緊急性の高いやるべきことはどんなに意志が弱い人でも行動することができるのです。

たとえば、病気になればだるくて一歩も歩きたくなくても薬を買いに行きます。お腹が痛ければどれだけ用事があってもトイレに駆け込みます。

あこがれの異性から突然食事の誘いがあれば、上司に嘘をついてでも仕事を終わらせてレストランに向かうでしょう。

「自分は行動力がない」と嘆いている人が、1杯のラーメンを食べるために深夜に開いているお店を30分かけて検索し、1時間近く車を飛ばして食べに行く姿を見ると「どこが行動力がないのか」と、思わず笑ってしまいます。

『人は自分にとって緊急性が高いやるべきことは、どのような手段を使ってでもやる。

たとえ自分は行動力がないと悩んでいる人でも、実はやっている』ということなのです。

ところが、起業や将来のための取り組みというのは、必ずしも緊急性が高くありません。簡単に言うと「長期的にはやる必要があるけど、いますぐやる必要がない」ということです。

トイレに行きたい気持ちを放置しておけば、悲惨《ひさん》な結果を招くことは目に見えています。肉体的な苦痛が襲ってきますし、精神的にも恥ずかしすぎる体験をすることが明確に見えています。なので、悲惨な事態を何としてでも回避しようと積極的に行動するのです。

つまり、「いますぐやる必要がある」から誰でもできるわけです。

しかし、起業や将来のためのスキルアップは、いまやらないと死ぬわけではないですし、何となく明日でもいい気がするし、とりあえず今日は疲れたからのんびりビールでも飲もう、ということになってしまうのです。

もっと自由に生きたいし、働きたい、という気持ちが嘘なわけではありません。みんな本気で思っています。でも、つい先延ばしにしてしまうのです。

しかし、これが問題なのです。

必要性と緊急性が高いことだけをやっていけば何となく、いまは最低限の人生を送ることができますが、いまの現状を抜け出し大きな成功をつかむことは不可能です。

つまり、緊急性が低い「今日やらなくても問題がないこと」をすることでしか、人生の質を劇的に変えることは不可能なのです。いつもあと回しにしてしまう「未来の自分のためにできること」を今日できるかどうかが成功の分かれ目なのです。

いまやらなくてもすぐには困らない、だけど、自由な未来を手に入れるために必要なことに、どれだけ取り組めるかが成功の分かれ道です。

『いまやらなくても困らないけれど、将来の自分のためにやるべきことは何か?』

あなたにとってそれは何でしょう?

ぜひ、いますぐ自分に問いかけてみてください。そして、忘れないように手帳の1ページ目やパソコンのデスクトップ画面、携帯の待ち受け画面など常に目に入るところに書いておきましょう。

実際には、この文章を読んでいる5％の人もやらないと思います。でも、やった人だけ人生が変わります。ぜひ、未来の自分のためにやってみてほしいと思います。

行動できない人のパターンとして、もう1つ、最近増えてきたのは、副業や起業への道を探るうちに、候補がいっぱい出てきてしまって、たくさんの選択肢を目の前にして選べなくなってしまい、結局「どれも踏み出せないまま足踏みしてしまう」というケースです。

少しは行動してみるのだけれど、少しやり始めたところで、別の選択肢があることを知ってしまって立ち止まる。見えてしまうと、そっちはそっちで魅力があるように思えてくるので、少しかじってみたりする、そんなことをしているうちに、結局どれも中途半端なままということになりがちです。

情報に飲み込まれて溺《おぼ》れてしまい、やりたいことが定まらず、「これしかない」というものに絞り込めないのです。

元日本代表のスターサッカー選手がこんなことを言っていました。

「ゴールキーパーと1対1になると、観戦している人たちはすごく簡単にゴールを決められるシーンに見えると思います。でもやっている選手としては、本当に絶好のチャンスというのは、選択肢がありすぎて一瞬迷ってしまうのです。そしてその迷いの結果、つまらないミスをしてしまってゴールを奪えないことがよくあるのです。逆に難しい場面でのシュートのほうが選択肢がほかにはないので、迷いなく自分の持っているすべての力を出すことができます。難しい場面のシュートのほうがそういう意味では簡単なんです」

とても興味深い話だと思いました。

これはビジネスや起業でも同じです。選択肢が増えすぎると目の前のことに集中できず迷いが生まれてしまいます。迷いを持った状態では集中しきれないのでうまくいきません。

選択肢が多いというのは一見良いことのように思えますが、結果を出すために必要な集中力を奪ってしまうことでもあるのです。

追いつめられるか、何かのきっかけか。結局は動くしかない

「動けない人」とは逆に、現状を打破するための行動が取れている人とはどのような人でしょうか。

動けている人というのは、1つには「追い詰められている」という状況にある人が多いのです。やむにやまれぬ事情で「起業するしかない」という人です。

かつての私がそうでしたし、実際によくあるケースでは、借金があって自己破産寸前という人もいました。

そこまででなくても、家族を介護しなければいけない立場で、外には働きに行けないという人や、これまで働いた経験がなくて就職口がない人などもいました。

また、別なパターンで動けている人の特徴は、「きっかけ踏ん切り型」です。いますぐお金が必要とか、いまの仕事が嫌で嫌でしようがなくてとか、このまま仕事を続けていると死んでしまうという人です。

たしかに、ほかに選択肢がないということでもないと、まがりなりにも安定しているいまの生活をかなぐり捨ててまで、起業に踏み切れるものではありません。

多くの人は、最初は副業として始めて、うまくいったらいまの仕事を辞めて自分のビジネス1本にしたいと思うものです。しかし、兼業ではなかなか時間も取れないし、そうそう簡単にうまくいくものでもありません。

実際、私の周りで起業している多くの人も、最初は躊躇《ちゅうちょ》していたり、ある程度の算段をつけてから独立起業したいと思っていたりするけれど、いざ独立する段になると、意外と見切り発車的なケースが多いものです。

その人たちはどこで踏み切ったのかというと、何かのきっかけで、糸が切れたように、なかばやけくそ的な形で会社を飛び出して起業するというパターンです。

たとえば、上司と意見が対立して発作的に辞表を出してしまったとか、嫌なことがあって会社を飛び出してしまったり、業界の嫌な部分に触れてしまって仕事に対する情熱がなくなり、何もかも我慢できなくなってしまったりといったことです。

あるいは、たまたま起業してうまくやっている友人と再会したとか、同期入社のやつが役員とかプロジェクトリーダーとか重要な役どころに大抜擢《だいばってき》されるなど、そうした何かのきっかけに触発されて現状を抜け出すというケースも実際にあります。

あまり多くはないとはいえ、いまの本業でとりあえずは稼げている、このままずっと同じことを続けていれば少なくとも食べていくことはできるという現状のなかでは、なかなか起業に踏み切れるものではないのです。

少しくらい嫌なことがあっても、「この職を失ったら路頭《ろとう》に迷うかもしれない」という考えがよぎるものだけれど、そこで、ある程度でも起業の準備が進んでいると、何かのきっかけで「この際、踏み切ってしまおう」という、現状を抜け出すためのひと押しになるのです。

自由に働くって、実はそんなにたいした問題じゃない

あなたとそれほど変わらない、もしかしたら、それ以上に難しい状況にあったところから抜け出した人たちがいます。

ひょっとしたら「都合が良すぎる！」とか、「実は、何か裏があるんじゃないの？」と思うかしれませんが、すべて私の周りで実際に起こったことです。

実は、「そんなバカな？」「そんなことでうまくいくの？」ということほどあっさり、簡単に現状から抜け出せるものなのです。それをわかっていただきたくて、これから事例を紹介します。

これを読んで、「こんなことでいいのなら、自分にもできそうだ」と思ってもらえたら本望です。

たしかに努力は必要だけど、でも自由に働くというのは、実はそんなにたいしたことではなく、きちんとやるべきことをやり、正直に、誠実に、人のために生きるという、人間として当然のことをしていれば、誰でも手に入れられるものなのです。

プロ選手でもないのに「跳躍力トレーニング法」で月収30万円

これは、私の会社で働いている26歳の男性スタッフの話です。

彼があつかっている商品は、「90日でジャンプ力を15センチ伸ばす方法」です。

中学校や高校の体力測定の時間などで、手に白い粉をつけて、体育館の壁に貼りつけているメモリのついた板に跳び上がってバンと印をつけ、どれだけ高く跳べたか、という測定をした記憶がある人は多いでしょう。

バスケットボールやバレーボールの選手にとっては、垂直跳びの跳躍力は必須の能力であり、誰でも鍛えたいと思っています。

当然、バスケットボールやバレーボールでレギュラーを目指しているような選手にとっては、「えっ！　そんな方法があるなら教えて」と飛びついてきます。

実際、この商品は大変によく売れています。

トレーニング方法を講義形式で解説したＤＶＤをアマゾンで販売しています。価格は９８００円です。

これが、なんといままでも毎月30万円ほどがコンスタントに売れています。

しかも、売り出した当初は、初月だけで70万円も売り上げました。

ところで、私の会社のスタッフである彼は、いったい何者なのか気になりませんか？

バスケットボールのコーチ？　いいえ。

プロ選手経験者？　いいえ。

えっ？　どっちでもないの？　せめてスポーツインストラクターでしょう？

いいえ、どれも違います。

彼は、まったく普通のアマチュア選手です。

もちろんプロ経験もなければコーチ経験もありません。

いま現在、私の会社で働いているので、スポーツインストラクターでもないわけです。

ただ、彼は実際、中学、高校とバスケットボール部で活躍し、レギュラーになりたくて跳躍力を一生懸命鍛えました。

彼のもともとの跳躍力は、男性の平均的とされるくらいだったのですが、170センチの身長にしてバスケットのゴールをつかめるほどになりました。

そうして自分が編み出したトレーニング方法をメソッド化したものなのです。

私が驚いたのは、彼が実際に飛ぶ姿を一度も見せていないことです。それでもお客様は商品を購入し、ちゃんと真剣にトレーニング方法を学び、一生懸命鍛えているのです。

私自身、「プラス15センチ跳べました！　ありがとうございます」という感想が本当に届いていることを知って、「ああ、本当だったんだ」と思ったくらいです。

ともあれ、これで毎月30万円も売れるのなら、あなたならもっとすごいものができるのではないでしょうか。

ネジ工場の工員から、お客様に〝神〟と呼ばれるようになった男

次に紹介するのは、大阪の下町で町工場に勤めていた、当時37歳で工員をしていた男性のケースです。

町工場というのもベタだなとわれながら思いましたが、でも、本当のことだからしかたがありません。

その人は堀下さんと言います。

彼は去年まで町工場で歯車の一部になり、言い方は悪いですが何の自由もない奴隷《どれい》のごとく働く毎日でした。

連日朝早くから夜遅くまで同じ場所で同じことを繰り返す日々で、「私が死んでも代わりはいるもの……」

と、無意識につぶやいてしまうほどでした。

決められた作業さえできれば、人格も性格もどうだっていいという、会社の体制にずっとずっと憤りを感じながらも勤務していました。

毎朝、工場独特の甘ったるい油の臭いの染みついた作業着に着替え、通勤用の原付スクーターにまたがった瞬間の『やるせなさ』を正確に伝えることのできる日本語を彼は知らないと言っていました。

仕事帰りに急に雨が降ってきて、油まみれの作業着がずぶ濡《ぬ》れになり、信号待ちでふと見たガラス窓に、ソレを身にまとっている自分の姿が映ってるのを見たときの自己嫌悪感もまた、言葉にするのが不可能なほどで、伝えるのが困難というしかなかったそうです。

土曜日も仕事、祝日も仕事、祭日も仕事、お盆休みはまさかの土日の２連勤で、「こんな毎日があと何回繰り返されるんだろう……」と、やらなきゃいいのに、月間出勤日数26日と定年までの月数を掛け算して、うんざりしたり、さらに月給で一生涯で所得できる給料を計算して絶望に打ちのめされたりしていたそうです。

そんな苦痛だらけであったとしても、

「子どものため、家族のため……働くことが男の義務……」

そんな言葉で自分に暗示をかけながら、ごまかしながら十数年、働いてきたそうです。

毎日長時間拘束され、昨日と同じような今日が繰り返されるなかで、いつも辞表を叩きつけるシーンを妄想しながら、現状を変えることのできない自分を慰《なぐさ》めていました。

しかし、そんな無期懲役の牢獄の囚人のような暮らしから解放されたいと、私とビジネスパートナーの白石さんの開催するセミナーに参加をしたのです。

町工場での仕事しか知らず、さしたる特技も、これといった才能もない堀下さんがいったいどうしたかというと、「吃音《きつおん》を矯正《きょうせい》する方法」という商品をつくりました。

実は、堀下さん自身がひどい吃音にずっと悩まされ、子どものころからからかわれたりバカにされたりしてひどいコンプレックスを抱えていました。ネジ工場の工員になったのも、あまり人と話さずに済む職場だったからです。

でも堀下さんは、やっぱり吃音がどうしても自分で嫌になって、あるとき、一念発起して矯正にチャレンジしました。

ものの本を読んだり、専門の外来に通ったり、漢方薬を試したこともあります。かなり苦労したそうですが、最終的に吃音を克服することに成功しました。

それは、私たちのセミナーに来る前だったので、ビジネスのネタにしようと思ってやったことではなく、純粋に自分でコンプレックスを克服したかったからです。

私のセミナーに来たときには、そんな過去をすっかり忘れていました。

そうして、堀下さんは私たちにこう言ったのです。

「私はしがない工員で、何の才能もたいした経験もないから、商品になりそうなものはないんです。でも、どうしても稼ぎたい。工員で終わりたくないんです」

そこで私たちは、「自分が人に何をしてあげられるか、で考えてみたらどうでしょう」と投げかけました。すると彼は、自分が吃音を克服した過去をふと思い出したのです。

自分は吃音のせいで何度も嫌な思いをしたし、引っ込み思案な性格になってしまった。だから、同じ吃音に苦しむ人の気持ちがわかるというのです。

これは願ってもない大チャンスです。

あとでも話しますが、ビジネスにとって、「お客様の気持ちがわかる」ということほど強力な武器はありません。

コンプレックスは大チャンスです。

かく言う私も、コンプレックスがあったからこそ稼げた人間です。

ともあれ、「それを絶対に商品にすべきです。吃音で苦しんでいる人を助けてあげてください」と言いました。

堀下さんはそれから、私たちのセミナーで熱心に学んで、アドバイス通りに「吃音を矯正する方法」をメソッド化し、販売を始めました。


さて、どうなったでしょう。

結果、堀下さんはいま、月収１００万円をコンスタントに稼いでいるのです。

工場を退職して、いまは自分のビジネス１本で生活できるようになりました。

叩きつけようと思っていた辞表も実際に出すときには、優しい気持ちでそっと上司に差し出せたそうです。

堀下さんは、自由にダイナミックに自分の人生を生きるすべを手に入れたのです。

でも、うれしいことはそれだけではありません。

堀下さんは、彼の商品を買ってくれた人から、まるで神様のように慕われています。

堀下さんのお客様にとって、彼は「商品を売る業者」ではありません。自分を吃音のコンプレックスから救ってくれた神なんです。

そして、堀下さんはいま、町工場の一工員だった自分が自由を手に入れた方法を教えることで、同じように人生をやり直したい人たちを救っています。そして、彼らと毎日交流しながら、感謝の声を毎日もらいながら、充実したお金にも時間にも場所にも縛られない働き方を謳歌《おうか》しています。

自己破産寸前から1年で億万長者に転身

最後に、私が携わったなかでも、もっとも思い出深いケースを紹介します。

この方は、私にとって最初にお客様になってくれた人の1人です。

この方を仮に、遠藤さんとしましょう。

遠藤さんは、私の飛躍のきっかけになった商品、「誰でも2時間でホームページを作ることができるシステム」を買ってくれた人で、彼の成功が私の商品が爆発的に売れたきっかけにもなりました。

それはまだ、私がホームページ制作代行サービスを仕事にしていたときで、業界がだんだん過当競争に入って価格破壊が起きてしまい、制作代行では利益がほとんど取れなくなっていったときでした。

そこで私は、「ユーザーが自分でホームページをつくることができる」というソフトをつくったらどうだろうと思って商品化しました。

そのときに、実際に「誰でもつくれる」ことを証明しないと説得力がないと思って、モニターを募集したのです。

モニターになってくれた3人のうちの1人が遠藤さんでした。

私はこのとき、「誰でもつくれる」というところにより説得力を持たせたかったので、もっともITから遠い人を選びました。

1人は高齢のおばあさん、1人は家庭の主婦、そして3人目が遠藤さんです。

この3人に共通するのは、これまでパソコンを触ったこともなく、相当な機械音痴《おんち》ということでした。

そうして、もっともホームページ制作が苦手そうな3人のモニターに商品を渡し、実際にページをつくってもらったところ、「誰でもつくれる」というわりには、かなり苦労してしまいました。

なにせ、パソコンの電源を入れるところから教えないといけないのです。しかも、モニター期間はたった1週間しかありません。

残念ながら、3人のうちの1人、おばあさんだけは「どうしてもできない。無理」ということで断念してしまったのですが、遠藤さんを含む2人は何とかホームページづくりに成功したのです。

そうして、モニター期間が明けて正式発売に移る段になって、実際にホームページをつくってみた成果をヒアリングしようと連絡を取ったところ、すごいことになっていたのです。

「伊勢さん、大変です！」

「どうしたんですか遠藤さん、何か不具合でも⁉」

「いえ、そうじゃないんです。売れすぎちゃって、商品の配送が間に合わなくて困っているんです」

「売れすぎちゃってって、どういうことです？」

実はこのときはまだ、「起業して成功するためのセミナー」という、私の現在の商品はあつかっていません。このときやっていたのは、あくまでホームページ作成ソフトの販売だけです。

遠藤さんは、ほかのセミナーで起業ノウハウを少しかじっていたようで、ホームページを立ち上げ、さっそく見よう見真似でビジネスを始めてみたところ、あっという間に商品が売れてしまったのです。

そのとき、遠藤さんがあつかっていた商品は、独自に考案した〝ダイエット法〟でした。

彼は30日間のダイエットプログラムをつくり、毎日の朝昼晩の食事に何を食べる、どんな運動をする、気をつけることは何といった内容を手書きで書いたものをコピーして冊子にしていたのです。商品は2万円という価格設定でした。

私自身、「そんなものが、そう簡単に売れるのか」といぶかしがったものですが、実際に毎日何十部と売れていきます。初月の売り上げだけで数百万円になり、遠藤さんは冊子をコピーして綴《と》じ、お客様に郵送する作業に追われてうれしい悲鳴を上げていたのです。

モニターですから、彼の成果を私は宣伝に大いに使わせていただきました。

この遠藤さんの成功があったことも、私の商品である「誰でも2時間でホームページを作ることができるシステム」がヒットする一つの要因になりました。

あとでわかったことですが、遠藤さんは九州地方のある学校で教師をされている方で、そのときすでに30歳代後半のベテランでした。

なぜそんな人が起業を志したのかというと、実は借金があったようなのです。

あとで本人が教えてくれたところによると、「ホームページの立ち上げが、もう数カ月遅れていたら、自己破産していました」というところまで追い詰められていたそうです。

借金の支払いはきつくなる、かといって、教師という職業柄、どんなに頑張っても急に給料が上がるわけではなし。まさに待ったなしの状況でした。

そうして、副業のやり方や起業の方法を教えてくれるセミナーに通っているうち、ホームページでダイエットプログラムを販売するビジネスというプランをつくったけれど、肝心のホームページがつくれない。そこで、私の商品に興味を持ってもらえたことがきっかけで、すんでのところで自己破産の危機を免《まぬが》れたのです。

その後、どうなったかというと、実は、遠藤さんの商品はさらに売り上げを伸ばし、初年度だけでなんと売り上げ１億円を突破。２年目には２億円を突破し、億万長者の仲間入りを果たしてしまったのです。

遠藤さんはいま、借金を完済したのはもちろん、教師を辞めて投資家に転身し、海外に不動産を複数所有して悠々自適の生活を送っています。

さて、この話には落ちがあります。

独自のダイエットプログラムを考案したということなので、てっきり保健体育の先生かと思っていたら、専攻は美術教師と聞いて二度びっくりしました。

そう言えば、見せてもらった冊子の挿絵《さしえ》が妙に上手だったのを思い出して、何となく合点したものです。

私にとっては、飛躍のきっかけにもなりましたし、また、私のお客様のなかでも最初に成功を手にしたという意味でも忘れられない経験になりました。

普通でOK。誰でも素晴らしい素質を持っている

独立起業を成功に導くためのセミナーを開いている私のところには、すでに小さな企業を経営されている方だけでなく、起業を夢見る若者、脱サラを考えているサラリーマン、働いた経験のない家庭の主婦まで、いろいろな人が来ます。

そうした人たちのなかで、「能力もない、お金もない、人脈もない私のような人間には、起業は無理なんじゃないか」という人が少なからずいます。

私は、そういう声を聞くたびにとても悲しくなります。

ここでいくつか紹介した通り、ビジネスで成功するために、能力、お金、人脈は必

ずしも必要なものではなく、人にはそんな目に見えるものよりもっと大きな価値があり、誰でも素晴らしい素質を持っています。

働いた経験がない大学生や主婦でも、お年寄りの方でも、誰でもそのチャンスがあります。普通に生きる人々にこそ、きわめて大きな価値があるということに気づかぬまま、何もせずにあきらめてしまうのは実に惜しいことです。

事実、私自身、働いた経験もないまま学生時代に起業しました。当然、お金はゼロ、人脈、技術、知識も何もありませんでした。

よくある話は、実は実家がお金持ちで、資金は出さなかったとしても、何らかの便宜を受けていたり、あるいは父親の起こした会社を継承したりしているものですが、私の場合はそういうものもいっさいありません。

私の父は、バブルのころに不動産事業を個人で営んでいましたが、私が起業するころにはとっくに廃業していて普通のサラリーマンをしていましたから、お金も商売の基盤もなくなっていました。本当に私ひとりで始めたのです。

私自身は、あまりにも無謀《むぼう》な形で起業してしまったために、その後、しなくてもよかった苦労をしてしまいましたが、いまはそうした自分の失敗経験から積み上げた、誰でも起業できる方法をメソッド化してお伝えしているのです。

でも、そうすると、「それは、伊勢さんだからできるんですよ。私はそんなに優秀じゃない」などと言われることも少なくありません。

そうじゃありません。

私は起業家としてはけっして優秀ではなく、ダメダメな人間だったのです。謙遜《けんそん》ととられると心外なので、次の章で、私の恥ずかしい生い立ちを紹介したいと思います。私がいかにごく普通の人間か、特別な才能や優秀な頭脳を持ち合わせているわけではなく、いたって凡庸《ぼんよう》な人間であるかがわかっていただけると思います。

第2章

どこにでもいる平凡な私でも一瞬で5億円を稼げた

本当は普通なのに、普通であることに劣等感を感じる生活

子どものころの私は、劣等感のかたまりでした。

成績は良くないし、とくにこれといった特技もなく、普通と言えばあまりに普通すぎる少年だったと思います。

それだけだったら何も劣等感を感じることはないのだけれど、あまりにもできすぎる姉の存在が、私の生き方や性格に大きな影響を与えました。

2歳違いの姉は、できすぎるほどできた人でした。

とても勉強ができて、成績は学年でも常にトップクラス。音楽をやらせれば絶対音感があって、楽器の演奏もすぐに覚えてしまう。そのうえ、真面目で責任感があったので、どこへ行ってもすぐリーダーに担がれるような人でした。

親を困らせるようなことはいっさいなく、勉強しろなんて言わなくても、自分で進んで努力して優秀な成績を取って名門校に進学。高校生のころには自立していて、お小遣いは自分から「いらない」と言って受け取らず、通学の定期代や部活の道具など

も親に出させたことがありません。自分でアルバイトをして稼いだお金で全部まかなっていました。

そのまま当然のように一流大学に合格し、一流企業に入社。いまも将来を嘱望《しょくぼう》される人材として活躍しています。


わが姉ながら、ここまでできた人だと嫌味も出てきません。

それに比べて、私はあまりに普通でした。

普通だから、別に何も卑下《ひげ》することはないと言えばそうなのですが、両親にしてみれば、姉が初めての子どもですから、そこを基準に考えてしまうと、どうしても見劣りするわけです。

たとえば、姉は小学校に上がる前にはもう読み書き算数ができていたのに、私はできませんでした。色を覚えることも、時計を読むことも小学生に上がるまでできませんでしたし、文字を読むのも小学2年生の途中までできちんとできませんでした。

ギリギリ普通学級に通えるレベルだったのですが、3月の早生まれというのが一番の原因だと思います。2年生以降は普通の子と同じようなレベルになりました。ただ、姉も1月生まれです。両親からすると最初の子が姉のような子だったので「なぜ、できないの？」とどうしても私は言われてしまいます。

読み書き算数は学校へ上がってから覚えればいいことなので、できていなくても問題ないのですが、両親にしてみれば、「お姉ちゃんはできていたのに」ということになります。

学校に上がっても、私は勉強もせずに毎日遊び呆《ほう》けていました。成績は良くなかったけど、遊ぶのは大好きだったので休み時間にすべてをかけていました。学校から帰って来ても、宿題をほっぽらかして遊びに行ったり、好きな本を読んだりしていました。

子どもなんてだいたいそんなものだと思うのですが、両親は「お姉ちゃんは、勉強しろなんて言わせなかったのに」となるわけです。

両親だけでなく、親戚や近所の人たちも、「よくできる姉とダメな弟」というふうに見ていたと思います。

もちろん、面と向かってそんなことを言う人はいないし、両親も基本的には下の男の子なので、ものすごくかわいがってくれたのですが、姉に対する期待が高く、それだけ認めていたので、相対的に、私に対するあつかいは「お前はできない」「お前には無理だろう」というようなものになりました。

誰も口には出さないけれど、「お姉ちゃんはできるのに、お前は……」と思っているだろうことは、子ども心にもひしひし伝わっていました。

姉と比べられるのが嫌だったので、姉のやらないことをやるようになり、そこから、常に人と違うことをしたがる私の性格ができ上がっていったのだと思います。

いまでもそうですが、私はみんながやっていることとか、流行しているものにはまったく興味がなくて、音楽でも、高校時代にJ‐POPがはやっているときはジャズばかり聴いていたし、ボウリングもカラオケも学生時代いっさいやったことがありません。

いま思えば、大学時代、就職を蹴って学生起業に走ったのも、普通に就職したらもう一生姉には勝てないという気持ちがどこかにあったからだと思います。

何をやってもかなわない姉への劣等感と、周囲の態度から「どうせ自分は期待されていない」と思い込み、私はどんどん「あまのじゃく」になっていったような気がします。あまのじゃくな自分になることで、「俺は特別なんだ」と何とか自分を保っていました。

「人と同じことなんかしたくない。みんながやるなら俺はやらない」と強がり、本当はいたって普通なくせに、普通である自分を激しく嫌悪するようになっていったのです。

「普通に就職」ではない生き方に出会う

普通は嫌だと言いながら、いたって普通の能力しかない私は、何か特別な才能が開花することもなく、普通に高校に行き、普通に大学へと進学しました。勉強は中学3年生の冬に「Doって何?」と聞いていたくらいなので、もちろん進学先は三流高校、三流大学です。

そうして、勉強はそっちのけでジャズに明け暮れた学生時代が終わろうとするころ、普通に就職することを意識するようになりました。

就職は嫌だったけれど、当時の私には起業など夢のまた夢で、就職以外の選択肢があるはずもなく、「俺はみんなとは違う」などとうそぶきながらも、結局は、みんなと同じように就職活動するしかないのが現実でした。

そうして嫌々ながらも就職活動を始めて少し経ったころ、ある会社の説明会に出席したことで、私に転機が訪れたのです。

100人くらい集まった学生を見わたすと、みんな判で押したように同じ格好、同じ髪型、同じ話題。「普通」だらけでした。もちろん私も普通ですし、どちらかというと三流大学で普通以下でおどおどしていたというのが本当のところです。

けれどそこに、普通ではない男が1人だけいたのです。

グループディスカッションで同じ班になった彼は、1人、異彩を放っていました。みんな、就活セミナーで教え込まれたような型通りの意見しか言わないのに、そいつだけ自由に発言していて、発想も飛び抜けている。

彼の発言で議論が飛躍してしまうため、班のほかの人たちは困るし、面接官は期待の新人を見るような目で見ていました。そして、私は自分の学校にはいない特別な存在に「こいつ、すごいなあ」とまぶしいものを見るように眺めていました。

人当たりの良い彼は、いっさい目立たなかった私にもしっかり名刺をくれて、爽《さわ》やかな笑顔とともに去っていきました。

私はあまりの衝撃に帰ってすぐにメールをして、また会いたいと告げました。相手にされないだろうと思いながら。

すると、後日メールがきて、何かと思ったら「就職活動で会った面白い人たちを集めて交流会をやるけど来ないか」という誘いでした。普通じゃないやつらが集まって普通じゃないことをするなら、絶対に行きたい。私は二つ返事で「行く！」と返信しました。

実際に会ってみたら、たしかに異色な連中ばかりでした。

まだそのころは、就職活動が解禁になって2カ月目くらいでしたが、その時点でもう内定を10社以上からもらっているような人がいたり、かと思うと、お笑いタレントを目指している人がいたり、私があこがれる「普通じゃない人たち」がそこにいたのです。

そして、その中心にいたのが、例の変わり者の彼です。彼はそこで、「俺は内定は腐るほどもらっているけど起業する」とぶち上げたのです。

その「起業」という言葉に私は驚きました。私の大学にはおそらくそんな人は1人もいませんでした。すごく反応して、そのとき初めて自分で会社を起こすという選択肢があるのだと気づき、一筋の希望の光が見えたような気がしました。

おそらく、彼と会ってなかったら私は起業しなかったと思います。普通に就職して、いまも普通に会社員をしていたのではないでしょうか。それまで私には起業という発想すらなかったのです。

「かわいそうなカマス」という話があります。

真ん中を透明なアクリル板で仕切った水槽《すいそう》の片方にカマスを入れ、もう片方に餌《えさ》を撒《ま》きます。カマスは餌を食べようとするけれど、アクリル板にさえぎられてどうしても餌のところまでたどり着けません。

やがて、あきらめて餌に対する関心を失ったところで、透明のアクリル板を取り除き、あらためて餌を撒きます。けれども、カマスは「もう、どうせ餌のところにたどり着けない」と思い込み、餌を取りに行かないのです。

そこで、カマスの思い込みを払拭《ふっしょく》する方法が1つだけあります。それは、新たなカマスを水槽に投入することです。

新しいカマスは固定観念がないので、何のためらいもなく餌を食べに向かいます。その様子を見て、餌への関心を失っていたカマスは、「ああ、行っていいんだ」と気づけるというわけです。

私にとっては、変わり者の彼こそが、新しいカマスでした。

私には思いもつかなかった「起業」という解答を、いとも簡単に導き出してくれたのです。

それからはもう、刺激的な彼らの存在が頭から離れず、とんでもない宝物を見つけた予感に胸をふくらませていきました。

とはいえ、自分にとって起業というのは、この時点ではあまりにも想像がつかないことでした。お金も知恵もってもない平々凡々の若者が、おいそれと起業などできるはずもなく、その後も嫌々ながら就職活動を続け、一応いくつかの内定をもらい、卒業の日が近づいてきました。

ちなみに内定をもらうことができたのは、彼らとの交流で自分が成長したからだと思います。就職氷河期で同じ大学の半分近い生徒は内定をもらえませんでした。

そんなとき、例の変わり者の彼が始めた交流会がけっこうな規模になっていました。そして、その交流会で、大学卒業の記念に思い出に残ることをしようということになり、私の人生を変えたその彼が「500人キャンプ」というのをぶち上げたのです。

学生ノリで始めたものでしたが、それぞれの友達に広げていったら、またたく間に優秀なスタッフが集まりました。予算も必要になったので、企業を回ってスポンサー集めをしたり、設備の提供などで協力してくれる会社を探したり、話がどんどん大きくなっていきました。

私が幸運だったのは、たまたま会の中心人物と顔見知りだったことで、実行委員の1人になれたことです。

私以外の実行委員はみんな個性的で、大学生のころからベンチャー企業経営者の知り合いがいたり、すでに企業から注目されているような人たちで、彼らのアイデアやネットワークでどんどん話が大きくなっていったのです。

私は本来、人を引っ張っていくリーダータイプではなく、優秀でもなくアイデアマンでもありません。間違いなく「その他大勢」タイプの人間です。けれど、たまたま実行委員のなかに入ることができたおかげで、〝普通〟ではできない体験ができたわけです。

何度も会議を開き、会場を借りて説明会をしたり、備品の調達に走り回ったり、死ぬほど忙しかったけれど、とても充実した時間でした。

結局、500人には届かなかったものの、300人そこそこまで集めることに成功し、山中湖の湖畔《こはん》で大キャンプを開催したのです。ちなみに、その後、このキャンプは恒例行事になり、後輩たちが引き継いでいって毎年開催され、第4回目に500人を達成したそうです。

自分たちの力で一からプロジェクトをつくり上げるという貴重な体験は、私のなかに大きな革命を起こしました。

なんてわくわくして楽しいのか、起業をしたらこんな体験がもっとできるに違いない。そう思うと、普通の就職がますます色あせたものになっていきました。

そして、キャンプが終わると、同級生はそれぞれ就職したり進学したり、次の進路に進んでいくわけですが、キャンプの実行委員のなかの8人が起業の道を進むことになりました。そして、いまでもこの仲間の多くは親友であり、私が居候させてもらった第二の親とも言える大恩人の友人もこのなかの1人です。

話が少しそれましたが、そのときまで、私は起業にあこがれながらも、自分にできるのか、まったく自信がなかったのに、みんなはいとも簡単に「俺は起業する」「俺も起業だ」と口々に言うわけです。そして私もその勢いに押されるように「起業する！」と決め、すべての内定を断りました。

「よし！　この仲間たちと世の中に名を残すような会社やサービスを生み出すんだ！」

「この俺が起業だって、スゲエじゃん」

「これから俺の人生は、楽しいことばかりが待っているに違いないんだ！」

なんて1人で盛り上がっていました。

もう私のなかに、就職という選択は微塵《みじん》もありません。起業しか眼中になくなったのです。

当然、周囲は猛反対。

両親からは、「お前には無理だ。悪いことは言わないから普通に就職しろ」と優しく諭されました。怒られるのではなく優しく諭されたというのがポイントです。

「また、できの悪い息子が変なことを言い出してかわいそうだ」という感じだったと思います。いままで何ひとつやるべきことをやらず、結果を残してこなかったので当然の反応だと思います。

だけど、私にとっては、やっと普通じゃない生き方を手に入れるチャンスに出会ったのです。もう普通は嫌だと思ったら止められませんでした。

そうして、周囲の反対を振り切って、私は起業に走りました。

大学4年秋のことでした。

案の定、起業で得たものは〝借金〟だった……

学生起業と言えば聞こえはいいのですが、自分ひとりではとても起業などできなかった私は、そのとき仲間と組んで、そのうちの1人が立てた事業プランに乗ったというのが実際のところです。

それが、デジタルファッション誌をつくるというビジネスでした。

ファッション誌は2次元の世界なので、ファッションブランドやショップの人たちがお客様に見せたい表現が伝わりにくい。そこで、映像で表現したらどうかと発想したビジネスでした。

いまでこそインターネットで何でもできますが、当時はまだ企業がホームページを持っていない時代で、回線もISDNが主流だったので、映像を見られるようになるのはまだ先の話です。撮影した動画をCD-Rに焼いて、書店などで販売しようというものでした。

いまから考えても目のつけどころは良かったと思います。実際、その後、この取り組みは話題を呼びました。

ただ、なにせ全員がド素人もいいところです。ファッションのことも映像制作のこともまったくわかっていなくて、撮影するにしても機材のあつかい方も知らないし、モデルをどうやって探せばいいかもわかりません。

知り合いのつてを頼って、そういう方面に多少でも知識がありそうな人をなんとかかき集めて8人でチームをつくり、やっと制作に入ったような感じでした。

そんな感じでも、なんとか完成にこぎ着けたのは、いろいろな意味で若さの特権があったからでしょう。普通では絶対に出てくれないような、当時裏原《うらはら》（裏原宿。服飾洋品店が集まっている一帯）のなかでもトップの人気があったブランド「ナンバー9」をくどき落とすことができたのも、リーダーのプレゼン能力と想いが本物だったからだと思います。

ちなみにこのリーダーとは、何度も出てくる私を居候させてくれた神のような友人です。

このブランドは、当時のファッションリーダーだったSMAPのキムタクやサッカー選手の中田英寿が好んで着ていたことから若者に絶大な人気があり、かつ雑誌やテレビなどには絶対に出ないことで有名でした。その「ナンバー9」を素人の私たちがくどき落としたということで、業界のなかでは驚かれたです。

そうしてなんとかコンテンツはできて映像も撮れたわけですが、では実際に販売する段になって、これがまた、ビジネスそのものが素人なのでどうしていいかわからない。

販売戦略なんてないに等しくて、とにかく情熱と体力だけを武器に書店を駆け回るという単純な作戦です。

そうして、やっと渋谷のツタヤやブックファーストといった大手どころの書店にちょこちょこ置いてもらえるようになったものの、どうにか2000枚が売れた程度。それでも、いまにして思えば、素人の私たちがよく2000枚も売ったものです。

とにかく、事業計画も営業戦略もなっていなくて、バカみたいに制作費をかけたうえに値づけを完全に間違えたこともあって、結局は大赤字です。

ここまでにほぼ1年かかっていました。

その間、売り上げはほとんどたっていませんので、給料はゼロ。制作費から私たち自身の生活費まで含めて全部借金でまかなっていました。

冷静に考えれば怖いことでしたが、まだ私たちは若くて青く、どこまでも呑気《のんき》でした。私たちの取り組みがけっこう話題になっていて、当時、雨後のタケノコのように乱立し始めていたベンチャー企業から、数億円単位で出資してもいいといった話が出ていたこともあって、とても楽観的に考えていました。

ところが、ほどなくＩＴバブルがはじけてしまうのです。

進んでいた出資の話は頓挫《とんざ》し、せっかくつくったＣＤ‐Ｒはなかなか売れない。当然、第２弾を出すような余裕なんてありません。

何もかもうまくいかなくて、しだいに借金の重圧も厳しくなってくると、メンバー同士もギスギスしてきてチームの結束も乱れてきました。

私たち、中心になっているメンバーはそれなりに身銭を切っていますし、資金調達から制作、販売と、夜寝る暇もないほど多忙をきわめていました。でも、なかにはあまり動かないやつもいるわけです。

そうしたうっぷんがたまりにたまっているなかで、「ここがダメなら、もう終わり」と見定めていた出資先相手のプレゼンが失敗に終わった次の瞬間、鬱積《うっせき》していたものが一気にはじけて、最後は罵《のの》り合いのようになり、結局、解散です。

いま思えば、リーダーには本当に悪いことをしました。自分がトップに立ったいまならわかるのですが、彼の重圧は半端なものではなかったと思います。

当時の私に言えることは、結局自分の非を省みず、うまくいかなかったことをみんなのせいにしていたのです。一番大変なときに何ひとつわかってあげられなかったのに、その数年後に居候させてくれた彼の懐《ふところ》の深さは信じられません。いまでも私には到底できないと思います。本当に私の人生にとって奇跡のような出会いであり存在です。

仲間割れをした私たちには、結局、借金だけが残りました。

私自身のかぶった金額はまだ少なくて済んだのですが、それでも、解散時点で200万円くらいの借金ができていました。

起業なんて言っても、しょせん私は友人の事業プランに乗っただけで、1人になってしまったら、もう何もできません。プロジェクトが解散してしまったあとは何もすることがなくなり、毎日ぶらぶらして過ごしていました。

当時は実家で生活していましたので、親もうすうす感づいてくるわけです。それまではほとんど家に帰らず、仕事場で寝泊まりしていたのが、毎日家にいるようになったのだから、仕事がうまくいっていないのはもうバレバレです。

そのうち、「やっぱり起業なんて無理だったんだよ。いまからでも就職しなさい」と言われるようになりました。

でも、どうしてもそれだけはできませんでした。

もともと、成績が悪く、さしたる特技もない私が普通に就職したら、姉に勝てないどころか、人並みにやっていくのさえ苦労したでしょう。それが結局、起業にも失敗して、プータローみたいになった末、1年遅れで就職したら、もっと暗い未来になることは容易に想像できます。

いまここであきらめたら、何のために起業したのかわからない。

引くに引けない感じでした。

とはいえ、仕事のあてはありません。

家にいると親にうるさく言われるので、忙しいふりをして、朝になると普通にスーツを着て出かけるようになりました。

もちろん、やることがないし、お金もないので、公園でただ時間をつぶすだけです。そのうち、ホームレスと顔見知りになったりして、話をしながら「俺もいつかはこうなるのかな」と思って落ち込んでいました。

普通に就職して嬉々《きき》として働いている友人たちがまぶしくて、羨ましくて……。自分を引き合いに出すとみじめだから、知り合いに会わないように、出かけるときにもわざと遠回りして裏道を歩き、知り合いを見つけたら電柱の陰に隠れてやりすごす（本当です）、そんな生活をしていました。

隣に住んでいたおばあちゃんの家に親戚が来ているときには、自分のことを詮索《せんさく》されるのが嫌で自室に隠れて息を殺していました。

本当にみじめで、そのまま実家で何をすることもなく時間を浪費していることに、言いようのない焦燥《しょうそう》感ばかりが募っていきました。

1年半、収入ゼロ。借金返済のニート生活

起業に失敗してから2年が過ぎても、私の状況はまったく変わりませんでした。この間、居候させてくれた友人が設立したデザイン会社やNPOの仕事を手伝ってお小遣いをもらったり、新聞配達のバイトをしたりしていましたが、ほとんど借金の返済に消えていきました。

私のなかでは、あくまで自分は独立事業者であり、就職する気はありません。とはいえ、仕事はなく、一応バイトから帰ると自分の仕事の時間ですが、「いい商売ないかな」とあてのない夢想をしていただけで、ビジネスとしての収入は1年半ゼロでした。

友人には、「起業した」「社長になった」と言いふらし、名刺には「代表」と刷っていたのだけれど、仕事も収入もなく、親にご飯を食べさせてもらっているだけの生活です。

何のことはない、実態はニートそのものです。

両親は、あきらめたのか、もう何も言いませんでした。

あのままだったら、私は本当にそのまま中年ニートになっていたか、よくても小さな会社に就職して、年収300万円のサラリーマンとして細々と生活していたでしょう。

しかし、ある日、事件が起こりました。

きっかけは、やはり姉でした。

いつものように仕事もなく実家でぶらぶらしていると、久しぶりに帰って来た姉から、すごい剣幕《けんまく》で怒られたのです。このくだりは冒頭でお話しした通りです。

「お前の存在が恥ずかしい！」

まさに完全否定でした。

このとき、姉にとってキャリアアップの大きなチャンスとなる転職の話が進んでいたようです。相手の会社と条件面や業務内容などをやり取りしていくなかで、家族のことを聞かれて、私のことを何と言えばいいのかわからず、返答に困ってしまったのです。

周囲の反対を押し切って無謀な起業に走り、あげく失敗してニートになり家でゴロゴロしているなどと言えるはずもありません。弟の存在のために、転職のチャンスがつぶされかねない。

姉の失望が怒りに変わりました。

私の劣等感の元凶になっていた姉は、半面では、常に私の良き理解者であり、このダメな弟を温かく見守り、時にはかばってくれる優しい姉でした。それがこのときばかりは激しく私を罵倒《ばとう》したのです。

私はといえば、反発して怒ることもできず、ただ黙ってうつむいているだけでした。

「起業なんて嘘っぱちじゃない！　仕事なんかないんでしょう！」

何も言い返せるはずありません。その通りだからです。

そうして私は姉に、「今月中に、自分の力で15万円稼げなかったら、起業をあきらめて就職する」と約束させられてしまうのです。

姉の厳しい叱咤《しった》によって、私はやっと目覚めました。

就職が嫌だと言うなら、何としても稼がなければならない。そんな当たり前のことにさえ、私は気づかなかったのです。

それまでも、ただ家でぶらぶらしていただけではなく、企画書を書いて企業に出すなど、私なりに現状を打破しようといろいろやっていました。

しかし、まったく芽が出なかったのは、要するに本気度が足りなかったのでしょう。親元にいれば、とりあえずご飯は食べられるし、住むところも確保できます。

結局、私はすっかりニート生活に安住していたのです。

その虚飾の生活も、いよいよあとがなくなってきました。

それまでの1年半、仕事がゼロだったのに、1カ月のうちに15万円を自分の力で稼げなければ、あれだけ嫌悪した普通のサラリーマン生活を始めなければならないのです。

本気になるしかありませんでした。

その時点で、お金も、ビジネスアイデアも、つても何にもありません。すでにケンカ別れしてしまったので仲間もいません。このちっぽけな、私ひとりだけの力で、お金を稼ぐ手段を見つけなければならなくなりました。

1人でしっかり食える仕事がしたい！

何の特技も、これといった経験もなかった私でしたが、ギリギリのがけっぷちまで追い詰められたことで、初めて自分に対して本気で向き合い、「この俺に、何ができるか」と必死に探っていきました。

そして、やっとひねり出されてきたのが、中学1年のころ、読書感想文で表彰された思い出だったのです。

それも、実際には姉のノートを参考にさせてもったからできが良かっただけなのですが、そのときの私には、そんな小さな希望でもすがるしかありませんでした。

選択の余地はありません。ものを書いて食べていこう、ライターとしてやっていこうと私は決意しました。

とはいえ、何の経験も実績もない私が、突然「ライターです。仕事をください」と言ったところで、どこも相手にしてもらえるはずもありません。

そこで目をつけたのが、そのころちょうど普及し始めていたインターネットのホームページでした。

企業が自社のホームページをつくるようになり、ホームページ制作代行ビジネスがすごい勢いで伸びていました。当然、ホームページに載せる文言を書く仕事が大量に発生するだろうと考え、ＷＥＢ専門のライターを名乗るようにしたのです。

雑誌社や出版社など紙媒体の業界には実績も経験もある先輩方がたくさんいます。その人たちを相手に勝ち上がっていくような自信はありません。だけど、まだ黎明期《れいめい》だったインターネットの世界ならライバルも少ないし、やっていけるのではないかと思ったわけです。

とはいえ、「ＷＥＢライター」というのは私が勝手に考えた職業ですから、世間にそういうニーズがあったわけではありません。何らかのメリットをつけなければダメだろうと思い、苦肉の策で、「いまならサービスでプレゼン代行もします」というキャンペーンを始めたのです。

これは、制作会社に売り込みをしていく過程で気づいたことなのですが、彼らはプレゼンが好きではありませんでした。資料をつくるのは面倒だし、プレゼンそのもののでは1銭にもなりません。

そのうえ、結局、仕事を取れなければかけた苦労も時間も台なしです。幸い、学生時代、就職しようと思っていた会社でインターンをしていたとき、企画書の書き方を教えてもらい、その後、デジタルファッション誌のプロジェクトをしていたときや、NPOの仕事を通して広告代理店にもプレゼン資料をつくっていたので、この方面の仕事はわりと得意でした。

そうして、「プレゼン代行」を武器に改めて営業をかけたところ、俄然《がぜん》、反応が良くなったのです。

やはり、追い込まれると、人間いろいろなことを考えるものです。

それまでの1年半のなかでも、何とか自分なりにビジネスを起こそうと、とりあえずなんらかの手を打つまではするのですが、形になる前にあきらめてしまい、「もっといい商売ないかな」と、別の手を探し始めることの繰り返しでした。

でも、その時点でもうあとがなかった私は、思いつきで始めた「WEBライター」という仕事を、「これしかない」と見定めて、形になるまで突き詰めていったのです。

そうして、姉と約束した期限の少し前、私は生まれて初めて、自分の力だけで13万円の契約を取ることができました。

家族に報告すると、最初の約束の15万円には少し足りなかったけれど、みんな喜んでくれました。姉に「良くやったね」と言われた私は自分の部屋に戻り、鍵を閉めて1人泣きました。

このとき私は、姉はけっして私のことを憎くて叱ったのではなく、本当に心配してくれていたのだと知りました。

セールスコピーライティングという〝悪魔〟

1つの契約が決まったものの、その後も変わらず家でご飯を食べていた私を見て、両親はさらに心配を募らせていきました。

そして私は、家を出て友人宅で居候生活をさせてもらうことになります。それからしばらくは一進一退の状況が続くのですが3年が経ったころ、徐々に実績が認められるようになり次々と仕事が取れるようになりました。

自分で勝手に考えた「WEBライター」という仕事でしたが、意外に時代の要請にうまくはまっていたようです。

当時のホームページ制作会社は、プラットフォームはつくるけれど、会社概要とか事業の説明などの文章はユーザー自身が書いて制作会社に原稿を預ける形でした。でも書くのは面倒だし時間もかかる。そこで、ライターが代わりに書いてくれるなら便利だし、制作会社にとっても「ライターつけますから」というのが1つの売りになったことで、重宝がられるようになったのです。

それに、WEBはその後、既存の紙媒体とは違う形の発展を遂げ、私の仕事もマーケティングやセールスコピーといった方向に進み、そのなかで徐々に専門性を身につけていくことになりました。

このとき、私がやっていたのは「セールスコピーライティング」という分野の仕事で、広告やDMなどに使われているテクニックです。要するに、お客様がモノを買いたくなるような宣伝文句をちりばめた文章を書く仕事でした。

手法としては昔からあったものですが、エッセンスを詰め込んだ短くて効果的な文章が求められる普通の広告コピーと異なり、WEBには基本的に文字制限がありません。そのため、WEBのセールスコピーライティングは独自の発展を遂げていくことになったのです。

まだ黎明期だったWEBの世界を中心にライティング活動を始めた私は、たまたまうまくその波に乗ることができました。

ところが、仕事が増えていったのはいいのですが、今度は締め切りに追われて休む暇もありません。

雑誌の仕事と違って、WEBの仕事には1週間とか1カ月といったサイクルがあるわけではなく、「3日で上げてくれ」「月曜日までにやっておいてくれ」といったように、クライアントの都合で一方的に決められてしまいます。

断ると、次にいつ仕事をもらえるかわからないので、どんなにきつい締め切りでも受けるしかなく、仕事はたまっていく一方でした。

ゆっくり寝ている時間もなくなり、わざと寝にくくするために、服を着たまま布団を敷かず、硬い床の上に直《じか》に寝ていました。ぐっすり眠ってしまうと締め切りに間に合わないからです。

無収入のニートのような状態から、自分だけの力でやっと食べていけるようになった。それは本当にうれしいことでした。

でも、体はつらいし、どんなに無茶な注文でも文句ひとつ言えず、ただただ締め切りに追われる毎日に私は疲れ果てていきました。いつも体調が悪く、浅い眠りから覚めると吐き気がして便所に駆け込むけれど、出るのは胃液だけ。黄緑色の胃液のなかに血が混じっていることもありました。締め切りのプレッシャーで胃潰瘍《いかいよう》になっていたのです。

このままでは本当にダウンしてしまいそうでした。

「私が起業したのは、このような生活を送るためだったのか。これではまるで仕事の奴隷ではないか」

そんな疑問が頭をもたげてきました。

とにかく、この生きた屍《しかばね》のような状況から逃げ出したい一心で、「何か方法ないか、何か……」と考え始めました。

どうも私は、追い込まれないとなかなか動けないようです。一度目は学生時代、就職から逃れるために起業へと走り、二度目はニート生活から抜け出すために。そして、三度目のこのときは、仕事に追われる生き地獄から逃れるために、何とか道を探さなくてはならなくなりました。

ちょうどそのころ、ホームページ制作ビジネスも大きな曲がり角に差しかかっていました。

インターネットが普及し始めのころ、ホームページを持っているのは企業や官庁でしたから、比較的に潤沢な制作費が出ました。いまでは考えられませんが、1件当り200万円くらいの料金設定をしていた時代もあったのです。だからこそ、ライティング費用も出ていました。

それが、競争相手が増えてきたことでどんどん価格が下がっていって、100万円になり、50万円になっていき、さらに大企業にほぼ行きわたって、中小企業、零細企業、個人がホームページを持つようになると、制作費は15万円とか、ひどいときには「3万円でなんとかつくってくれ」と言われるときもありました。

それでは商売にならないので断っていたのですが、かといって、企業向けの制作サービスはもう過当競争でうまみも少ない。今後、市場が広がっていくとしたら、中小企業や個人商店などの零細企業になっていくのだから、そのマーケットに対応することを考えなくてはなりません。その場合、制作代行という事業モデルでは合わないので、何か別のアプローチが必要になってきました。

またここで不思議な出会いを体験します。

あるセミナーで偶然隣の席に座っていた人が、私の願いを叶えてくれる天才エンジニアだったのです。その人と相談し、「誰でも2時間でホームページを作ることができるシステム」を開発することにしました。

制作代行からシステム販売事業に転換することにしたのです。

このアイデアが、私を締め切り地獄から救うことになりました。

3日で3000万円売り上げ、生活が変わった

WEBの仕事をしているときは、セールスコピーの草分け的なライターとして重宝され、誰でも知っている大企業の案件を受注できたりして、それなりに活躍していたのですが、血反吐《へど》を吐きながらパソコンに向かうような生活でした。

休みはなく、睡眠時間も満足に取れず、とにかく、24時間365日締め切りに追われていました。それでも、年間売り上げはもっとも多いときで2000万円がせいぜいです。

それがこれまでとは、生活はガラリと変わりました。

どう変わったのかと言えば、私の場合、モバイルパソコンが1台あれば仕事になります。場所に縛られる必要がなく、趣味の旅行を兼ねて月に1回は国内や海外の風光明媚《めいび》なところに出かけて、雄大な景色を存分に楽しみながら、気が乗ってきたらパソコンを開くといった感じです。

普段は事務所に出勤して普通に働いていますが、締め切りに追われて胃が痛くなる

ようなことはありません。気の置けない仲間たちに囲まれて充実した仕事をし、しっかり休日も満喫して、それで収入は当時の10倍以上です。

そんな生活を手に入れるきっかけになったのが、「誰でも2時間でホームページを作ることができるシステム」を販売するというビジネスでした。


でも、これは自分のアイデアのように言っていながら、実を言うと、ほとんど人に教えてもらったものです。

仕事に追われる生き地獄のような生活から抜け出したい一心で、無理をして時間をつくり、ビジネスセミナーや勉強会に出るようになって、そこでいまでも師と仰ぐ、平秀信先生に出会うことになりました。

「下請けのような仕事をしていたらダメだよ。自分の仕事をして、自分のお客様を持ちなさい」

そう教えてくれたのも平先生です。

最初のつたないアイデアも、平先生の勉強会に出るようになって、ディスカッションのなかで練り上げていき、最終的に売れる形にしてもらいました。おまけに、平先生のお客様を紹介していただいたことで、そこに爆発的に広がっていきました。

当時、平先生は10万人以上の会員さんを持っていて、セミナーやビジネス教材を販売していました。そのお客様に、私の商品のチラシを撒いていただいたのです。

このときのやり方は、商品のチラシに興味を持っていただいたお客様に、すぐ商品を売るのではなく、まずは私のメルマガ読者として登録してもらい、そのうえで、メルマガの感想やアンケートに応えてもらうなどしてやり取りを重ねていきます。そして、お客様の要望や悩みを聞き入れて商品の改良や値づけ、サービスメニューづくりに反映させるというものです。

もちろん私が考えた方法ではなく、平先生に教わったやり方です。これがのちに、私を4度目の窮地から救ってくれることになる「プロモーション」のごく初歩的なやり方だったのです。

ただ、当時はよくわかっていなくて、見よう見真似でした。

それでも、とにかく、3カ月間やり取りを重ねて、お客様の意見を反映して実際に売り出してみました。

すると、初期費用5万円でサポート費用月額5250円という商品が、売り出し後3日間で600本、一気に3000万円も売れてしまったのです。

それまでどんなに頑張っても年商2000万円だったのが、たった3日であっさり上回ってしまいました。やった私がその衝撃に呆然《ぼうぜん》としてしまったほどです。

平先生のお客様は、先生の指導でビジネスをしている小さな商店の経営者とか、もしくは、これからビジネスを立ち上げようとしている人たちで、彼らのなかには「ホームページをつくりたいけど、やり方がわからない」という悩みがありました。

だから、もともとニーズはあったわけですが、それにしても、これだけの反響は予想外でした。

その後、追加販売を何度かして、最終的に900本売れました。サポート費用だけで毎月400万円から500万円が自動的に振り込まれることになったわけです。


当然、生活は一変しました。

締め切りに追われて、パソコンの前に張りつけられる奴隷のような生活から解放され、ぐっすり寝て翌朝出社して注文シートを開くと、「今日は何件売れている」というのがわかります。お客様からいただいた商品の感想とか、感謝の言葉なんかを、飽きもせずにニコニコしながら読んでいるうちに1日が終わるような感じです。

ほんの数年前までのニートのような暮らしからすると、まるで夢のようでした。

でも、まだまだ奇跡は終わりません。

さらに、驚くようなことが立て続けに起こることになるのです。

お客様がお金に見える……このままじゃヤバイ

当時の私の主な仕事は、お客様からのサポートの問い合わせに対応することでした。そのなかで、「ホームページのつくり方はわかったけど、ビジネスがなかなかうまくいかない」とか、「商品がつくれない」というビジネスの相談が寄せられるようになりました。

あくまでも、テクニカルサポートの相談窓口であって、ビジネス指南をする必要はありません。とはいうものの、質問されたからには何か答えないといけないと思い、平先生から教わったことやいままでの経験を思い出したりして、私なりにアドバイスをしていたら、ますますそういう相談が多くなっていったのです。

「伊勢さんは、自分の悩みに答えてくれる」

と思われたのでしょう。

でも私自身、ビジネスの成功者というにはほど遠い存在です。

たしかに、このホームページ作成ソフトは売れたけれど、私の力というより、平先生におんぶにだっこで売ってもらったようなもので、私自身、なぜ売れたのか、この時点ではよくわかっていませんでした。

でも、お客様から次々にビジネスの相談が寄せられ、何か答えないといけないなと思っているとき、偶然1人のスターが誕生するのです。

それが、村上むねつぐさんでした。

村上さんは、ホームページ作成ソフトを買ってくれたお客様の1人で、実際にホームページを立ち上げてビジネスを始めて、あっという間に大成功を収めた人です。

そのとき村上さんがやっていたのは、自分で考案した恋愛術を伝授するというビジネスでした。そんなものが売れるのか半信半疑でしたが、2万円くらいのその商品が、ホームページを開設したとたん、毎月コンスタントに数百万円の売り上げを叩き出す商材に大化けしたのです。

そこで、村上さんにお願いして、実際に村上さんがやったビジネスのやり方をメソッド化し、セミナーを開くことにしました。

商品のつくり方、見込み客の見つけ方、クロージング方法などを一連の講座にして、ホームページ作成ソフトを買ってくれたお客様に、「セミナーをやります、よかったら来てください」と呼びかけたところ、お客様がわんさか押し寄せてくるわけです。

セミナーは1回の受講料が2万円から3万円。1回当たり100人から200人の受講者がいましたので、セミナーを1回開くたびに2000万円から3000万円くらいがドーンと入ってくることになります。

この年、わが社の売り上げは、初めて1億円を超えました。

その後も、セミナーを開くとお客様が押し寄せ、やればやるほど嘘みたいに儲かっていくような感じで、業績はうなぎ登りに急上昇していきました。もちろんこの業績は、ビジネスパートナーの村上さんあってのものです。

そんな状況に、私はニンマリしていたかというと、実はそうではなく、怖くて怖くてしかたありませんでした。

私自身、なぜ商品が売れているのか、なぜ有料のセミナーにみんな足を運んでくれるのか、その仕組みがよくわかっていなかったからです。

「こんな状態がいつまでも続くわけがない」と思っていましたし、いつかお客様は自分を見限ってしまうのではないか、そうなったらまた元の貧乏生活に逆戻りだと思い、戦々恐々としていたのです。

とくに、私がこのときとても恐れていたのが村上さんの存在です。セミナーでやっていたビジネスメソッドは、村上さんの成功体験がベースになっています。講師は2人で分担していても、やはり村上さんに人気が集中していました。

このまま、村上さんにお客様を取られてしまうのではないかと疑心暗鬼になり、村上さんの人気を羨ましがり、激しく嫉妬していた私は、ビジネスパートナーであり大恩人であるはずの村上さんと1年間もろくに口をきかない時期もあったのです。

貧乏な生活が長く、あまり人に認められることもなかったので、突然の環境変化に精神がついていかなかったのだと思います。

あのころ、私は明らかに変でした。

会社は儲かり、それなりのお金を手にすると、取りつかれたように散財しました。とくに使ったのが海外旅行です。もともと、旅行が趣味だったうえに、お金も入ったので、それまで行きたくても行けなかった海外旅行に行けるのがうれしくて、ハワイやグアムはもとより、アフリカやヨーロッパ、カンボジアやシンガポールなど東南アジアによく出かけました。

家族に認めてほしかったので、ゴールデンウイークに両親と姉を連れてハワイ旅行に行ったこともあります。

収入が増えたといっても、そのときの年収は3000万円くらいなので、税金を半分支払い、そんな調子で散財していたら、お金はあまり手元に残りません。

お金の不安は相変わらずあったのですが、一番の不安はこのままの好調が永遠に続くとはどうしても思えないことでした。

この時点で、お客様にセミナーを売り始めて2年ほどが経っています。相変わらず盛況ではあったのですが、新規開拓をしていないので、同じお客様に何度も繰り返しセミナーに来ていただいている状況でした。

当初の900人いたお客様はジリジリ減って、2年の間に700人になっていました。そのお客様に飽きられたら終わりです。そう遠くない将来に、いずれそのときがくるのは明白でした。

そのとき、私が考えていたことを正直に話すと、いまのお客様からどれだけ売り上げを絞り取れるかということを考えていました。

いずれ飽きられてしまうなら、その前にできるだけ多く稼いでひと財産つくり、さっさと引退してしまおうと思っていたのです。

一方で、そういう状態が良くない、ということもわかっていました。

当初、セミナーのビジネスが軌道に乗っていたころは、お客様のためを思ってビジネスを考えていました。だからこそ支持をしていただき、私の商品はたくさん売れたのです。

お客様から気持ちが離れてしまえば支持を失い、商品も売れなくなることはわかっています。でも、どうしてもお客様のためとは思えなくなっていきました。

とたんにビジネスに対する情熱も失せていきました。あれだけ毎日わくわくどきどきして仕事に励んでいたのが嘘のように、仕事が苦痛でたまりません。

「何かがおかしい」「この状態はまずい」とわかっているのに、自分でもどうしようもない。そういう状態だったのです。

あのままだったら、いずれビジネスは頓挫していたでしょう。元の生き地獄のようなWEBライターに戻るか、もっと悪ければ、最初のニートまで逆戻りしていたかもしれません。

私にとって、4度目の危機が訪れていたのです。

もともと普通の人なんていないと心から思えた瞬間

苦しむ私を助けてくれたのは、もう1人のメンターでした。

その人は、周りの人から「ミスターX」と呼ばれていました。名前はもちろん、素性を明かさないので、職業も住んでいるところも国籍さえも不明です。名刺を持たず、連絡手段はメールのみ。それもころころ変わります。

いっさいメディアには出ず、写真も基本的にはNGという謎《なぞ》だらけの人ですが、私がまだWEBライターをしているころに、最初のメンターになってくれた平先生のさらにメンターがミスターXだったのです。そんなことから知り合い、いろいろ相談に乗ってもらい、アドバイスをいただく幸運に恵まれました。

そのミスターXに、私はいまの心情を包み隠さず吐露《とろ》したのです。

「お客様を大切に思えず、お金としか見えないんです」

するとミスターXは、「それなら、私のやるセミナーに参加したらどうだ」と言いました。私は悩みを解決したい一心で、詳しいことは何も知らないまま、「ぜひ、お願いします」と答えました。

ところが、このセミナーが強烈でした。

行き先も知らされないまま、「パスポートと寝袋だけ持って来て」と告げられ、飛行機で連れて行かれたのが、東南アジアの山奥です。

宿泊施設などはなく、食事は健康食で全部〝生《なま》〟です。そんななかで、野宿をしながら11日間、奇想天外な授業が展開されました。

その参加料金からして４００万円という破天荒な価格でした。しかも、素性を明かさない相手ですから、銀行口座もわかりません。４００万円を現金で手渡しです。領収書なんてもちろんなしです。

ミスターXのセミナーは、だいたいいつもこんな調子で、毎回辺鄙《へんぴ》なところで開催されました。あるときはアメリカ中西部の砂漠地帯で、あるときはアラスカの雪原で開催され、日本でやったときには冬の八甲田山の山頂近くのロッジを借りきって開催されたこともあります。

内容も健康面からビジネス面まで多岐にわたります。あるときは、大量の唐辛子粉末、ショウガ、数々の薬草エキスが溶け込んだ風呂に、30分間浸かるというミッションを受けたことがあります。

その薬湯の温度がなんと60〜70度。とてもではありませんが1分間も耐えられません。

けれど、押さえつけられているので上がることができず、最後のほうはあまりの熱さと苦しさで意識がなくなっていました。でも30分後、湯船から上がったときには身体中の毒素がすべてきれいさっぱりデトックスされて、まるで生まれ変わったようにすっきりしていたのを覚えています。もう二度と受けたくありませんが、たしかに効果は抜群でした。

ミスターXに強烈に教えられたのが、成功するためには技術や知識だけではなく、精神も肉体も、すべてをレベルアップしなければならないということです。

考えてみれば当然で、普通の人には普通の人生しか待っていません。ビジネスの世界だけではなく、スポーツでも芸能の分野でも、成功している人はやはり普通の人ではなく飛び抜けた人たちです。

その人たちは最初からすべての才能に恵まれていたわけではなく、想像を超える努力の末に、心・技・体、あらゆるものを鍛えています。スポーツで大成している人は、たいてい人格者でもあります。

たとえば、芸能の世界で成功した人は、本業とは違っても、歌、ダンス、芝居、なんでも器用にこなします。ビジネスの世界で大成した人は、体力でも人並み外れていますし、教養のレベルもずば抜けています。

それは、必ずしももともと備わっていたものではなく、意識して鍛えて体得したもののはずで、またそうでなければ、成功へ向かう自分を適切にコントロールできなかったはずです。

私にしても、たまたま平先生と知り合い、その指導のおかげでビジネスを軌道に乗せることができただけで、中身はいたって普通のままでした。だから、分を超えたお金と境遇を与えられたことで、それがコントロールできなくなってしまったのです。

入ったお金を適切に使わず、ムダに散財してしまうのも、恩人である村上さんに嫉妬してしまったのも、大切なお客様が大事に思えなくなったのも、それが原因だったわけです。

スポーツでも芸能でも、持って生まれた才能と時の運だけで成り上がり、自分を進化させられなかった人は、表舞台から去っていくことになります。宝くじで大金を当てた人が、その後身を持ち崩し、結果的に、宝くじに当たる前よりも生活レベルを落としてしまうことが多いのもそのためです。

私もあやうくそうなるところでした。

成功したいと思っているならば、スタートは普通でもいいけれど、いつまでも普通ではダメだということです。

みんなと同じように、普通に起きて、普通に仕事して、普通にアフターファイブを謳歌して、それで億を稼ぎたいと言っても無理というものです。

だからと言って、「やっぱり普通の自分には無理か」などとあきらめることはありません。

私は思います。誰でもスーパービジネスパーソンになれる素質を持っています。私がそうでしたし、私のセミナーに通ってくれている普通の主婦、普通の若者、普通のサラリーマンからもちゃんと成功する人が出ています。

その人たちも普通から出発し、ちょっとだけ普通とは違うことにチャレンジすることから始めました。

朝、起きる時間を変えてみる、仕事でいつもとちょっと違うやり方をしてみる、アフターファイブに居酒屋に行く代わりに何か新しいことを始める……。

そんな普通の人ができる普通の努力を重ねていくことが、スーパービジネスパーソンになるための第一歩なのです。

言ってみれば、もともと普通の人なんていないのです。本当は、みんな個性的で、最初からたった1人のオンリーワンで、すごい才能とすごい価値を持っています。ただ、それに気づかないだけなのです。

私にとっても、この気づきはきわめて大きなターニングポイントになりました。文字通り生まれ変わり、新しい人生の扉が開いたのです。

お客様を手放したとき、お客様は1万人になっていた

ミスターXのセミナーでは、奇想天外な講義だけではなく、もちろん、人生を変えるようなビジネスノウハウの講義もちゃんとあります。

そのなかで具体的に教わったことの1つが、「お客様に対する執着を捨てなさい」ということでした。

それまでの私にとって、ホームページ作成ソフトの販売によって得た７００人のお客様がすべてでした。

新規開拓の方法を知らなかった私は、このお客様を失ってしまえばもう終わりです。だから、すごく執着していたのです。

ビジネスパートナーだった村上さんに「取られはしないか」とびくびくして逆恨みし、いつか飽きられるのではないかという恐れから、「いまのうちに絞り取れるだけ絞り取らないと」と考えるようになっていたのです。

でも、そもそもお客様は私のものではなく、選ぶ権利はお客様の側にあります。私がどれほど執着したところで、それはお客様には何の影響もおよぼしません。お客様に選ばれ続けたければ、私自身が進化していかないといけなかったのです。

そのためには、お客様に対する執着を、一度手放す必要がありました。

具体的に私がとった方法は、自分の持っているお客様を、どんどん他人に紹介するということでした。

そもそも、その私の７００人のお客様も、元をたどれば平先生のお客様だった人たちです。平先生が惜しげもなく私に紹介してくれたのは、ミスターXの教えそのままだったのです。

そうして、実際にお客様に対する執着を手放し、自分の持っているお客様をほかの人に紹介してどうなったかというと、その人たちが逆に、自分の持っているお客様を私に紹介してくれるようになったのです。

なるほど、お客様に対する執着を捨てるというのはこういうことかと実感した私は、それからというもの、これはと思う人気メルマガやブログを見つけると、「私の700人のお客様を紹介するので、あなたのお客様にも私を紹介してほしい。もし、そこから商品が売れたら50％を支払います」という具合に交渉していきました。

それに応じてくれた人が、10人、20人になっていって、最終的には30人ほどのネットワークが完成。全部のお客様を合わせると、ほぼ100万人規模に拡大していました。

結果、私のブログの読者は、700人から、2週間で一気に1万人に増えたのです。

いまでも私が商品を出すときには、そのネットワークの人たちが協力してくれるおかげで、一度に数万人単位の見込み客に直接リーチできる関係を築いていて、これが私のビジネスの心強い基盤になっています。

突き抜けたとき、12時間で5億円を稼いでいた

もう1つ、ここまでお客様が増えた理由は、これもミスターXが教えてくれたことで、「とことんまで無料で出す」を実践したことです。

いま私の例で言うと、インターネット上で動画配信する形式の有料通信講座の場合で、だいたい10本分、10時間の授業をすべて無料で提供しています。これは、以前には10万円くらいで提供していた有料のセミナーに相当する内容です。

さらに、各時限のなかで出てくる宿題に解答してもらうと、ボーナスとして、それぞれプラス1本の動画が無料で見られるようになるので、最大で20本まで無料で授業が受けられることになります。

なぜこういうことをするかというと、1つには、私の提供する商品である「ネットビジネスで成功するメソッド」を体感して信頼してもらうためです。

そのためには、「ちょっとさわりだけ」といった感じで小出しにしていたらインパクトはありません。

無料のビデオを見た段階で、何らかの成果が出るレベルの商品を提供するくらいがベストです。成果が出たら、価値を感じてもらえるわけですから、本編の商品を出したらまず買ってもらえるのです。

もう1つ、無料である程度のコンテンツを提供する意味は、お客様とのコミュニケーションを図るためです。

これは、私のやっている「プロモーション」というビジネスにとって、とても重要なポイントです。

一般的な意味でのプロモーションは、お客様に商品の存在を知ってもらうところから実際に買ってもらうまでのマーケティング活動を言うわけですが、ネットビジネスにおけるプロモーションはもう少し具体的なビジネスの手法を言います。

簡単に言うと、自分のところの商品に関心を持ってくれたお客様と、たとえば、プロモーション期間を3カ月と設定したら、その間にお客様と何度もやり取りを重ね、お客様が夜も眠れないくらい悩んでいること、イライラしていること、手に入れたい未来などを探り、商品に反映させていきます。

そうして、3カ月のプロモーション期限がきたら、満を持して商品を発売するのです。そのときの商品というのは、お客様の要望のすべてが詰め込まれた形になっているので、きわめて高確率で売れるのです。

したがって、プロモーションを成功させるためには、期間中に、どれだけお客様の声を吸い上げられるかによります。

ただし、「欲しい機能は何ですか」「お困りのことはありませんか」とダイレクトに尋ねたところで、まず答えてくれません。そこで無料のコンテンツを提供することによって、感想をもらったり、アンケートに応えてもらったりして、徐々にコミュニケーションを深めていくわけです。

最初に、ホームページ作成ソフトが売れたのも、実を言うと、図らずもプロモーションの手法を実践していたからです。

そのときには、平先生のやっていることをそのまま真似してやっていたので、自分でもなぜ売れるのかよくわかっていなかったのですが、改めてミスターXにメソッドを伝授してもらい、その方法を試してみることにしたのです。

商品は、「ネットビジネス成功のメソッド」です。

これまで、村上さんとつくり上げてきたメソッドをさらに進化させたもので、内容と授業時間により、9万7000円、50万円、200万円の3タイプの商品を用意しました。

そして、ネットワークを通じて獲得した読者1万人の見込み客にプロモーションをスタートして、無料の商品をプレゼントするなどしてコミュニケーションを深め、お客様の悩みや要望を商品に反映させていきました。

さて、プロモーションの期限がきて、満を持して商品を発売した結果はどうなったか……。

発売からたった12時間の間に、申し込みの金額が何と5億6000万円に達していました。

無料コンテンツを見てくれていた人が1万件のなかで、その1割、約1000人が私の商品を買ってくれた計算になります。

もっとも高い２００万円の商品を買ってくれた人でさえ、１８０人もいたのです。

私はそれまで頭のなかにあったビジネスマインドをすべて書き換えたおかげで、ついに突き抜けることができたのです。

第3章

あなたが自由に働くために必要なマインド

1年に2、3回の仕事で残りは自由に働く

ここからは、私がやっている「プロモーション」というビジネスについてのお話をさせていただきます。

前章でもお話しした通り、私はこの方法を使い、たった12時間で5億円以上の申し込みをいただいたこともあります。

では、24時間後には10億円になっていたのかというと、そういうわけではありません。

事実は、12時間しか売らなかったのです。

朝6時に販売をスタートして、その日の午後6時には締め切りました。販売解禁日はあらかじめメルマガで告知していましたので、その日に、私のブログの読者のうち1000人がドッと一気に買ってくれたのです。

この年、商品を売ったのはこの1回きりです。

「ネットビジネス成功のメソッド」の通信講座は、村上さんと私で16週間にわたり毎週ビデオで撮影したものをネットで配信し、お客様が好きなときに自宅で視聴してもらう形になりますので、しばらくすると私たちがすることはありません。

では1年間、私は何をしていたのかというと、講座を受けたお客様からきた質問に返答を出したり、感想のお礼状を書いたり、次の商品の構想を練ったり、そして自分を進化させる勉強をしていたのです。

こういう仕事は、机の上でやる必要はありません。

むしろ、きれいな景色を前にしたり、あるいは自分にとって刺激になる体験をしたりするほうが有意義なものです。

そこで、パソコンひとつ持って私は旅に出かけました。

あるときは雄大な大自然に抱かれに、あるときは発展するエネルギーに満ちた新興都市の息吹を浴びに、あるときは貴重な体験ができる文化施設を訪れるために外国へ出かけました。1年間の半分近くは海外で過ごす年もあります。

通勤電車も、ムダに長い会議も、わがままなクライアントも、無理解な上司もそこにはいません。誰と会うか、何をするか、どこへ行くか、すべて自分で決めることができます。限りない自由と、それを可能にする経済的な裏づけができました。

私はそんな特権を生かし、私のことを信頼し、私の商品を愛してくれているお客様とネットを通じて交流を深めながら、この人たちにもっと素敵な体験をさせてあげるにはどうしたらいいだろう。そんなことばかり考えて過ごしていました。

これは4年前の話ですが、現在も基本的に変化はありません。

年2回から3回、新たな商品をリリースし、そのたびに同じやり方を使い、だいたい24時間の販売で1億円から2億円を売り上げる、という状態を4年間続けています。

販売が終われば私はやることがないので、また旅に出かけます。

こうした働き方、そして、サラリーマンではとても得られない収入を得ることは、実は誰にだって手に入れることができるのです。

前章でお話しした通り、こんな普通すぎる私にもできた方法なのですから。

起業だけが自由ではない。いま居る場所でも自由になれる

あなたに大事なことをお伝えします。

それをお伝えする前に、いまからお伝えすることは、起業する人にだけ通用するものでも、ネットビジネスでしか使えないものでもありません。

事実、私の講座を受けてくれた人のなかには、起業して成功した人だけではなく、本業で成果を上げた人も少なくありません。また、ネット以外の仕事でもたくさんの人が成果を上げています。

つい最近も、心理カウンセラーをされている方が私の主催する合宿に来てくれて、ひと通りのことを学ばれて職場に戻ったら、それまで30分の面談で3000円しかもらったことがなかったのに、単価が2万5000円に跳ね上がったそうです。

以前は、自分の技術に自信が持てなくて、カウンセリングを受けた人の反応も何となく薄い感じで、お試し価格の3000円しかつけられなかったのです。

でも、私の講座を受けて、その通りに試したら、お客様にわんわん泣かれて感謝されたそうです。それから評判が上がって、お客様が徐々に増えてきたのですが、やっぱりみんなわんわん泣いて感謝される。

そのうちお客様から「3000円じゃ安すぎる」と言われて単価を上げたら、もっとお客様が来るようになってしまい、あっという間に2万5000円まで上がったのです。

別の例では、洋服の販売員をしている女性も私の合宿に来ました。

彼女が私の講座を受講したのは6カ月前のことで、最近、結果を聞いたら「本業の販売員として、6カ月連続、前年比160%アップの実績を出して表彰されたんです」と喜んでいました。

それから、いま私と『愛とお金が同時に手に入る学校』を一緒にやっている岸本亜泉さんは、呉服屋さんに就職して半年目で、月間売り上げ1500万円というすごい実績を上げて業界中を震撼《しんかん》させた伝説を持っている人です。

同じ会社でずっとトップ営業だった人でも、月間売り上げはせいぜい700万円から800万円。それなのに入社半年で、着物のことなどよく知らない若い女性が、いきなり前人未到の記録をつくってしまったのです。

そもそも、着物の営業というのは基本的に男性社会です。お客様はたいてい、お金持ちの奥様だからです。とくに彼女が勤めていた京都の呉服業界は古いしきたりが根強く、女性販売員は端《はな》からお呼びではないという感じで、入社当初はまったく相手にされなかったそうです。

そういう意味で、最初からハンデのある女性の身で、しかも、着物が売れないいまの時代に、誰も達成していない記録を叩き出してしまったのですから、社内はおろか業界全体が驚いたのも無理はありません。

もちろん彼女は、ネットも何も使っていません。普通に営業員としてお客様と接していただけです。

この人たちは、ネットで起業などという必要がありません。

岸本さんにしても、販売員の女性にしても、心理カウンセラーの男性にしても、どこの会社でも欲しい人材であるはずです。したがって、この人たちは「働く場所、収入、働き方」を自分で自由に選べる立場なのです。

あなたも、そんな方法を手に入れたいと思いませんか。

ビジネスで稼ぐことは、実はとてもシンプル

ビジネスというのは、ある意味、すごくシンプルで単純なものです。その単純な法則がわかれば、成功する道筋を見つけることも、比較的容易になります。

たとえば、「売れる商品とは、どういうものか」ということです。


ここで、問題です。

「AKB48」

「ONE PIECE」

「iPhone」

以上の3つが成功したのはなぜでしょうか。

それぞれに、アイドルグループ、マンガ・アニメ、携帯電話と、ジャンルは違いますが、爆発的にヒットし、特定のファン層を開拓したいまは、新作を出せばヒットするという状態を維持し続けています。

その成功の秘訣《ひけつ》を解説しようと思えば、いろいろな言い方ができると思いますが、突き詰めればシンプルな法則に集約できます。

では、これらのジャンルが異なる商品やサービス、コンテンツが成功を収めた理由をひと言で言い表すとしたらどうなるでしょう。

答えは、「お客様が欲しいと思うものを提供した」ということにつきます。

ビジネスはとてもシンプルです。

「こういうアイドルがいればいいな」「こういうマンガが読みたいな」「こういう携帯電話が欲しいな」と思っている人たちの目の前に、ポンと欲しいものを置いてあげる。

それだけでいいのです。

そうして、獲得したファンが欲しがるものを常に提供し続けることで、いつまでも愛され続けるわけです。

あなた自身のことで考えてみても、自分が好きなブランド、好きな作品、好きなアーティストに出会ったときに、ある種の衝撃を受けているはずです。

「私が欲しかったのはコレだー！」

と感じて思わず手に取り、衝動買いしてしまった経験がある人も少なくないでしょう。

そうして手に入れたもので深い満足感を得ると、もう次の新作のリリースが待ち遠しくて仕方ない感じになると思います。

私の商品がネットで売れるのも、これとまったく同じです。

違いがあるのはアプローチ方法で、アイドルグループのプロデューサー、マンガ作品の作者、家電・電子機器を製造しているメーカーの技術者やデザイナーは、時代を見抜く卓越《たくえつ》した観察力と、鋭い感性で、いまの消費者が欲しいだろうと思うものをつくり出す力があります。

こういう人たちは、並たいていの人が持っていない能力を持っています。同じ能力を手に入れるためには、経験も努力も必要だし、才能がものを言う部分が少なくありません。

これに対して、私のやっていることはもっと簡単です。

お客様に直接、「何が欲しいですか？」と聞くだけです。

ホームページ作成ソフトをつくったときも、「どんなことで困っていますか？」「過去、挑戦して断念したのはなぜ？」「どんな機能があったらいいと思いますか？」と、お客様に聞いていって答えをもらい、それを商品にして出しただけなのです。

具体的には、平先生に紹介していただいたお客様のうち、私の商品に興味を持っていただいた300人の方にメールを通して情報提供しながら、3カ月かけて要望や悩みを聞き取り続けました。そうした声を反映して商品に改良を重ね、完成したものをリリースしたのです。

そして平先生に紹介していただき、3日間で600人、最終的には900人に、私の商品を買っていただきました。

「こういうものが欲しい」というものを提供するので、非常に効率がいいのは当たり前です。

ビジネスで成功する方法は、とても単純で明快です。

あなたのお客様が欲しいというものを提案すればいい、というただそれだけです。

ですから、お客様に聞いてみてください。

「どんな商品が欲しいですか?」と。そうして、お客様の「欲しいもの」がその通り出せれば、成功はいとも簡単なことなのです。

普通でも必ずビジネスになるものはある

お客様が欲しいと思っているものを提供できればものは何でも簡単に売れてしまうということは、私の実感としても言えることです。

第1章で紹介した、九州で高校の美術教師をしていた遠藤さんがつくった「ダイエットプログラム」も、堀下さんの「吃音矯正プログラム」もお客様が欲しいものを提供したから売れました。

私の「ネットビジネス成功のメソッド」も、「それが欲しい」というお客様がたくさんいたから売れたのです。

一般的には、「権威があれば売れる」のではないかと思いますよね。

たとえば、「ダイエットプログラム」にしても、高名な医学者とか、人気のスポーツインストラクターとか、人気モデルでないと売れないと思ってしまいます。

でも、名もない普通の高校の教師が、それも専門知識がありそうな保健体育でもなく、美術の先生が勝手につくった「ダイエットプログラム」がなぜ売れてしまうのか不思議かもしれません。

これは、逆から考えればわかりやすい話で、なぜ人は権威に弱いのかと言えば、昔から多くの人たちが認めている人やものなら間違いないだろうと思うからです。

だから、普通は何の実績もない、裏づけもない「ダイエットプログラム」が売れるはずがないと思うわけですが、その商品が間違いないものだと納得でき、その人が信頼できる人だと思えれば、権威は必ずしも必要ではありません。

お客様が本当に求めているのは権威ではなく、商品そのものの価値なのですから。

つまり、よくネットビジネスで商品が爆発的に売れてしまうのは、発売にいたるプロモーションの過程で、お客様とコミュニケーションを重ね、無料の商品を提供していくことで、「この商品なら、この人なら、間違いない」と信頼してもらえるからです。


もう1つ言うと、お客様は必ずしも、「すごく価値のあるものを求めているわけではない」ということです。

世界中でこの商品だけとか、史上最強とか、究極の奥義である必要は必ずしもありません。

私はよく、「お客様の半歩先でいい」ということを伝えています。

たとえば、うちにアルバイトで来ている学生の男の子が売っている「ドラム上達法プログラム」という商品があるのですが、彼は学生ですからもちろんプロのドラマーではないし、どこかの大会で優勝したような経験もありません。ただ、趣味でドラムを叩いていただけで、有名なプロのドラマーに一度だけレッスンを受けたことがあるだけだそうです。

それでも、彼がつくった「ドラム上達法プログラム」という商品が、80万円も売れてしまったのです。

また、ほかのお客様のケースでも、フットサルのアマチュア選手をしている若い方ですが、「フットサル上達法」という商品をつくり、自分のブログで宣伝しているだけで30万円の売り上げがあります。

カラオケ店の店長さんをしている男性は、「カラオケ採点機で高得点を出す方法」という商品を出しており、これも多いときには100万円くらい売れています。

つまり、超一流の研究所がすごいお金をかけて、最先端技術の粋《すい》を集めてつくった究極の商品なんていうものでなくても全然かまわないのです。

私のセミナーに来た人にも、「私には、これといった技術も経験もなく、何の才能もないので商品がつくれない」という人がよくいるのですが、まったく問題ありません。

本当に、人よりちょっとだけ得意なものでいいのです。

私自身、最初の飛躍のきっかけになったWEBライターという職業にしても、ライターとしてのスキルも業界経験もなく、中学生のころに読書感想文で表彰されたという思い出だけを頼りにひねり出したものです。

それが実際、ビジネスになり、結果的にいまの生活を手に入れることになりました。


あなたももっと自分に自信を持っていいのです。

ビジネスにできるものなんて、あなたのなかに無限にあるはずなのです。

たとえば、「女性にもてる方法」というプログラムを村上さんがヒット商品に導いたのは、村上さんが名もない普通の人で、とくに美男子でも背が高いわけでもないからです。

もしこれが、「キムタクが伝授する、女性にもてる方法」だったらどうでしょう。

説得力ないと思いませんか？

「それは、あんただからできるんだろう！」って言いたくなりますよね。

普通の人の半歩先でいいというのは、「あの人にできるなら、自分にもできる」と思ってもらいやすいのです。

「普通の人にこそ大きな価値がある」と言った意味がわかっていただけたでしょうか。

お客様の「悩み」と「恐怖」がお金に変わる

それでもやっぱり、「自分にはこれといった技術も経験もなく、何を提供できるのかさっぱりわからない」という方でもご安心を。

商品がなければつくればいいのです。

たとえば、いまならちょっとITリテラシーがあれば、検索ワードで何がいまもっとも検索されているかを調べることは簡単にできます。

そのときに、「臭い」というキーワードが検索上位に挙がっていれば、「なるほど、いまの人は臭いが気になっているんだな、じゃあ、臭い対策商品をつくれば売れるじゃん」というのはすぐにわかるはずです。

ただ、そのまま「臭い対策商品」の研究開発に取りかかるのは早計です。

一般的な企業のプロモーション活動と、ネットビジネスにおけるプロモーションの違いはここにあるのかもしれません。

一般的な企業でも、アンケート調査や市場調査をして、いまどきの消費者がどんな商品に関心があるか、現状の商品の不満点は何か、どんな嗜好《しこう》を持っているかといったことを一生懸命にお金と時間をかけて調べています。

その結果、「こういう商品がいいんじゃないか」と企画して商品化し、できた商品に対して、「どう売ろうか」という考え方をしているのだと思います。

でも、ネットビジネスでは、「こんな商品にニーズがありそうだ」と思ったら、そこからヒアリングやテストを何度も繰り返していきます。

商品に対する関心度合いを探り、既存の商品で不満に思っていること、困っていること、いくらくらいだったら買うか、といったことをお客様自身に直接聞きます。あるいは、お試し商品をプレゼントして感想や意見を聞くということができます。

こういうことを繰り返していくから、実際に売り出したときに、とても反応がいいわけです。

では、お客様に何を聞けばいいのでしょうか。

私だったら、次の4つを聞きます。

1. 悩みと不安

2．恐怖
3．目標
4．手に入れたいライフスタイル

基本的に人がものを買う動機はこの4つしかありません。

人がものを買う動機は常にこの4つに限られるわけですから、お客様にどんな夢があり、どんな悩みがあるかを尋ねるわけです。

そういう視点で見れば、これまで例に挙げてきた商品は、必ずいずれかのカテゴリーに入っているのがわかります。

垂直跳びで15センチの跳躍力がつくトレーニング法を購入するお客様には、学生最後の大会のレギュラーが保証されていなかったり、見返したい先輩やコーチがいることに「悩みと不安」を持っているかもしれません。

後輩にレギュラーを取られることに「恐怖」を覚えているかもしれません。

レギュラーになって県大会に出てベスト8に進み推薦枠で進学する「目標」があるかもしれません。

勉強をせずにバスケだけに打ち込む「ライフスタイル」を望んでいるかもしれません。活躍してチームの人気者になり自信にみなぎる毎日で、試合になると女子からの黄色い声援が聞こえる「ライフスタイル」を望んでいるかもしれません。

ただ、想像で考えても限界がありますので、大切なことはやはりお客様に直接聞くことになります。

4つのなかでより重要なのが「悩みと不安」、それから「恐怖」です。

人は願望を叶えるよりも、恐怖や不安を避けるほうがより強い欲求になります。

たとえば、2年前に飲料メーカーのサントリーは過去最高の売り上げを記録しました。その理由は、ペットボトルの水が売れに売れたからです。

なぜ、多くの人はこの年、いままで以上に水を買ったのでしょうか。

人が水を買う理由は、4番目の手に入れたいライフスタイルの面では、健康や美容のためというのがあると思います。しかし、この年水が売れたのはそれが理由ではありません。震災があったので、水道水の放射能汚染の恐怖から逃れるため、そして不測の災害に備えて水を買い込んだことが理由でした。

つまり、悩みや不安や恐怖によって人は大量の水を買いました。

ビールもワインもウイスキーも販売しているサントリーですが、この年一番のヒットは「水」だったのです。いままで、いくら美容や健康面での良さを言われても買わなかった人たちが、恐怖や不安から一気に水を買い出した事実に、どれほど恐怖や悩みに強く人が反応するかが表れていると思います。

こうして集めた不安や恐怖や得たいライフスタイルをもとに、それを叶える商品開発をします。そして、それをもとに広告の文章をつくるので間違いなく売れる商品が完成するのです。

悩みの正体は「感情」でしかわからない

ところで、お客様に悩みや恐怖、目標や手に入れたいライフスタイルについて尋ねるとき、そのままダイレクトに「悩みは何?」「夢って何?」と聞いても、まずまともに答えてくれません。

お客様自身、自分の夢や悩みについて、完全に自覚しているとは限らないからです。それに、かなり信頼関係ができた段階で聞けば、お客様もそれなりに真剣に考えて答えてくれると思いますが、たいていは、あまり真剣に考えずに、その場の思いつきで答えることが多いのです。

あるいは、全幅の信頼が置けない段階では本心を隠し、ことによれば嘘をつくこともあります。とくに「悩みや不安」というのは、顔も見たことのない人に話せることではありません。

すると、アンケートの結果が支離滅裂になるし、一生懸命に分析しても実際とは違った答えが出てしまうのです。

たとえば、開発中のビールの試飲会をやったとして、お客様に意見を聞いたとします。

「もうちょっと、後味がすっきりしているほうがいい」

「香りがいいのが好き」

「糖質ＯＦＦがいい」

と、いろいろなことを答えてくれるはずです。

でも、そういう答えは、時期とか天候、場所、そのときの社会的状況、あるいは、被験者のその日の気分によってもかなり左右されてきます。

たまたま喉《のど》が渇いていたとか、湿気が多い日だったとかで違ってきます。あるいは友人と美味しいお酒を飲んだ翌日と、健康診断で悪い結果が出た翌日の答えでは当然違うと思うのです。

個人的な感覚としても、ダイレクトに聞いて、あまり参考になる答えが返ってきたことはありません。

そこで私は、お客様の意見ではなく感情を聞きます。

「どんな気持ちでした?」

「どんな感情がわきましたか?」

といった質問を重ねていく感じです。

とくに、私がよく使うのは「夜寝る前に、ふと考えちゃうことってありますか?」

という質問です。

これは、その人が抱える「恐怖」の正体に迫ることができる質問だからです。

だいたい人が抱える悩みや不安、恐怖というものは、夜布団に入って眠りにつく間際に、ふっと考えてしまうものです。

そのときに考えることは、あまり楽しくないことが多いのではないでしょうか。私自身、仕事があまりうまくいっていない時期は、夜寝るとき、ふっと嫌な想像が頭をよぎったものです。

このように問いかけの質問文を工夫して、感情を聞き出すことに集中すると、価値のある答えを集めることができます。

お金のために仕事を選ぶか、好きだから仕事を選ぶか？

お客様が欲しいと思うものを提供できれば、ビジネスは簡単。

たしかに、そう言いましたが、実は「お客様が欲しいと思うものを提供する」ことは、言うほど簡単なことじゃないのも事実です。

私の講座やセミナーに来てくれた人のなかには、「どんな商品をつくっていいのかわからない」という人も多くいます。

そこで、彼らにいろいろとヒアリングすると、かなり有望な商品になりそうなネタを持っていることがよくあります。けれども、「そういうことができるなら、このマーケットをねらってみませんか。有望だと思いますよ」と勧めても、当の本人がまったく興味を引かれないということが少なくないのです。

つまり、その商品を出せば売れるのはだいたいわかっているけれど、「やりたい」と思わないのです。

もし仮にそこで、「でも、これしかできることはないから」と、自分を納得させてビジネスに着手しても、いまいちお客様の気持ちをつかめないし、自分自身も気分が乗らない。そんな調子なので、なかなかうまくいかずに、余計に嫌になって途中で投げ出してしまったり、ほかに良さそうなビジネスがあると目移りしてしまったり、ということが実際に多いのです。

自分が「やりたい」と思えて情熱を持てることをしてもうまくいかないことが多い

のです。当たり前ですが、人に求められていなければビジネスは成り立ちません。

では、どうすれば、自分もやりたくてお金も稼げるビジネスを生み出すことができるのでしょうか？

それには、次の3つの条件がピタリと合うことがとても重要になります。

この3つのバランスが取れているとき、ビジネスはうまく回り出します。

1. 自分が何よりも好きなこと
2. 自分が誰よりも得意なこと
3. かつ人に必要とされること

この3つの条件が、バランス良く重なるマーケットを見つけることが、あなたがお金と時間と場所に縛られない働き方をするための第一歩と言っていいでしょう。

1番と2番は「自分に関すること」、3番は「他人に関すること」です。

自分が好きで得意なこと、という1、2番の条件を満たしていても、3番の「人に必要とされること」という条件を満たしていなければ、独りよがりになってしまいビジネスとしては成り立ちません。

逆に「人に必要とされること」という視点だけで儲かりそうだと思ってビジネスを始めても、好きや得意という自分の特性がそこになければ、困難や問題を乗り越えることができる情熱が足りないので、結果が出る前に途中で挫折してしまうことになります。

当たり前ですが、ビジネスには楽しいことや、笑えることばかりではありません。うまくいかずにへこむことも、自信を失うことも、やりたくないことをする必要に迫られることもときにはあります。

転んだりつまずいたりしたときに、チリを払って再び前に進むには、1、2番の自分が好きで特性があるがゆえの情熱が必要になってきます。

これをやれば儲かるからという理由だけでは、人はなかなか頑張れないのです。

自分視点だけでも、お客様視点だけでもダメで、両方のバランスが取れているときにビジネスはうまくいきます。

このメソッドは、元スターバックスCEOの岩田松雄さんに教わったものなのです。

岩田さんは私のビジネスの顧問としていつも相談に乗ってもらっていて、「ビジネスを立ち上げるときに必要な要素は何か？」という話をしているときにこの話になりました。

このメソッドはとてもわかりやすいので、それ以降、私も使わせていただいています。

億を売り上げる大ヒット商品をつくるには？

ゼロからビジネスをスタートするときは、まずは、先ほどの3つの条件を満たしていることが大切です。

いまからお話しするのは、もう少し踏み込んだ話です。たとえば、現在ビジネスを行っていて、3つの条件を満たしているのだけれど、いまいち売り上げが伸びない人や、もっと大きな売り上げをつくりたい人は、ぜひ、以下の7つの項目をチェックしてみてほしいのです。

大ヒット商品になるものは、これらの要因が入っている場合が多いからです。

1. コンプレックスに関わること
2. ブームに乗っていること
3. お客様がお金を持っている層であること
4. やりたいことができない「ある要因」を取り除いたもの
5. 緊急性が高い問題を解決したもの
6. ほかに提供している人がいないもの
7. いままでより時間を短くしたもの

1つひとつ、解説していきます。

1. コンプレックスに関わること

コンプレックスは人に激しい痛みを与えるもので、ダイレクトに悩みに直結しています。コンプレックスを解消できるのならお金を払うのは安いものなのです。人より禿《は》げている、太っている、体臭が臭い、背が小さいなど、挙げていけばキリがないほど私たちは多くのコンプレックスを抱えています。

もちろん、私もお話ししてきたように姉へのコンプレックスが起業した理由ですし、それを解消しようとする力はものすごいものがありました。

元町工場の工員、堀下さんの吃音克服マニュアルもまさにコンプレックス解消の商品です。

自分の商品や経験が誰かのコンプレックスを解消できないかを考えてみてほしいと思います。そこにヒット商品の可能性が眠っています。

2.ブームに乗っていること

ブームにからめると商品は売れます。理由は2つです。1つ目は、多くの人が興味を持って必要としているからこそブームになります。

2つ目は、ブームとなっている言葉はお客様の頭のなかにすでに存在しているものなので、つい反応してしまうからです。

先ほど2年前に水が売れた話をしましたが、1つ目の多くの人が必要としていた例になります。

2つ目は「アベノミクス」などは見るだけで思わず反応してしまうと思います。すでに頭のなかに刷り込まれているので自然と興味を持ってしまうのです。これがブームの力です。

ほかにもブームになっているのは、婚活、スマートフォン、ユーチューブ、フェイスブック、ワールドカップ、ブラジルなどでしょうか。

どのように自分のビジネスに取り込むかについても少し説明します。

たとえば、「転職サポート」をビジネスにする人がいるとします。このとき、「パソコンを使った転職サポート」というより「フェイスブックを使った転職サポート」のほうがブームに乗っているので反応してもらえます。

また、婚活ブームを利用した事例であれば、エンゲージリングを販売しているある会社が、「草食系男子を彼に持つ女性たちへ。強制プロポーズセットを発売します」というようなキャンペーンを行いました。これは、婚活と草食系男子というキーワードがブームだったので、見る人の頭のなかにすでに存在しているために注目を浴びました。

ただ、ここではわかりやすく世の中の大きなブームを例に出しましたが、ブームと言っても日本中が注目している必要はありません。限られた狭い世界のブームであってもかまいません。

私自身が起業したときのWEBライターも、ホームページ業界という狭い世界でライター不足というブームが起きていたためにうまくいったと言えます。

ブームが起きる要因としては、テクノロジーの変化があったとき、何らかの法律改正や規制が生まれたときもブームになります。

テクノロジーの変化は、スマートフォンやフェイスブックがこれに当たります。

私のヒット商品「誰でも2時間でホームページを作ることができるシステム」も個人や零細企業がホームページを持ち出したテクノロジーの変化によるブームでヒットしました。

規制の例を挙げると、カンボジアでは最近飲食店への汲取《くみとり》式便所の処理を徹底する法改正と規制が行われました。衛生状況を良くするために、捨てる場所や管理の徹底が法律化され、守らないと飲食店のライセンスを剥奪《はくだつ》されることになったのです。この話を聞いたある日本人が、日本で使われなくなったバキュームカーを輸出し、カンボジアで事業を開始して、日本円で1年で1億円以上を売り上げたそうです。利益率はかなり高いものです。

日本でもいろいろな業界でたくさんの法律改正や規制、逆に規制緩和が行われていますのでこれをチェックしておくとビジネスチャンスが広がります。

3. お客様がお金を持っている層であること

これは、そのままなのですが、同じ商品やサービスを提供するのでも、お金を持っている層にアプローチしようということです。

たとえば「たった3時間で小さいお子さんが補助輪なしで自転車に乗れるようになる方法」を幼稚園児に販売することは不可能ですが、親御さんになら販売できます。

極端に言うとそういうことです。
これについては、あまり解説の必要がないと思います。

4.やりたいことができない「ある要因」を取り除いたもの

いままで、「ある要因」のせいで本当はやりたいのにできないことがあった、使いたいものが使えなかったことがあった、という人の欲求を叶えてあげることが大ヒットの秘密になります。これは新たな客層を開拓できるのでビッグビジネスを手にするチャンスになります。

「ある要因」ですが、大きく分けて、

1. お金
2. スキル
3. 時間
4. 環境

などがあります。

「お金が原因の場合は、解決しようがないよね……」

と、思うかもしれませんが、そうとも限りません。自動車メーカーが行っている3年買い取り制度など、ローンやリースの形を工夫して解決できることもあります。買い取り制度でどれだけ多くの車が売れたことでしょう。

ほかには、たとえば、小さなお子さんがいるお母さんであれば、旅行に行きたいけれど「子どもを預けられない」という環境要因、「時間的なゆとりがない」という時間要因のせいで旅行をあきらめている人が多い。なので、もし「私たちは、お母さんの子どもを預けることや時間の問題を解決できる日本初の旅行会社です」という人が目の前に現れたら絶対に興味を持つと思います。

5. 緊急性が高い問題を解決したもの

緊急性が高い悩みを解決することができると商品は大ヒットします。

たとえば、高齢者でパソコンが苦手な家を1軒ずつ訪ねて行って、「ネットで宿を予約代行するサービスをしています。ご利用いかがですか?」と言ってもあまり興味は持たれないと思います。

しかし、飛行機の到着が遅れ深夜に空港に到着し、長旅で疲れ果ててベンチでぐったりしている高齢者の方に「ネットで宿を予約代行するサービスをしています。ご利用いかがですか?」と言ったら「ありがとう!」とすぐにお願いされると思います。

まったく同じサービスで、まったく同じセリフを言っても反応の違いは明確です。なぜ、反応が変わるかというと緊急性が高い人にアプローチをしたからです。

このように、緊急性が高い人の問題を解決できるとビジネスはものすごく簡単になります。ほとんど何の説明もなしに、即「お願いします!」と注文を取ることができます。

私自身、家のトイレが詰まって水があふれたときに、あわてて業者さんを探して来てもらったことがあります。ホームページには見積もり無料と書いてありました。そして、業者さんがやって来て提示された見積もり金額は驚くほど高いものでした。「無料見積もりなのでいかがなされますか?」と聞かれたのですが、こちらとしては、一刻も早くこの悲惨な事態を解決することを望んでいました。なので、「高いなあ」と内心思いながらも、「お願いします」と言っていました。

このとき、緊急性は値段の問題すら吹き飛ばすと実感しました。

6. ほかに提供している人がいないもの

ライバルが存在しない場合、あなたのところにお客様は殺到しますので1人勝ちになります。これについては、説明の必要はないと思います。

1つ挙げるとしたら、ライバルが存在していてもお客様がその存在に気づいていなければ、存在していないのと同じことになります。

7. いままでより時間を短くしたもの

ライバルたちと同じサービスを提供していても時間を短くすることができれば、商品は大ヒットします。

アスクルという会社があります。アスクルは会社で必要となる消耗品を提供しているのですが、名前の通り注文したものが「明日くる」というだけで、一気にお客様を獲得しました。

これは、いろいろなサービスや商品にも応用することができます。

私の知り合いで、ホームページ制作の時間を短くすることに成功した人がいます。会社やお店のホームページを作成すると多くの場合、完成まで2カ月以上かかってしまいます。デザイン、色、文章などもろもろの確認、写真や文章素材を送ってもらうなど、「確認⬇修正⬇確認⬇修正」を繰り返しているうちにあっという間に時間が過ぎてしまうためです。

そして、ホームページを制作する側にとってもお客様から素材がこなかったり、微妙なデザインのニュアンスが伝わらずに何度も修正を繰り返すのは大きなストレスになっています。

そこでその人は考えました。お客様に1日だけ時間をもらいパソコンを持って会社に行き、その場でデザインをつくり、目の前で修正してほしいところの要望を聞き、その場で写真を自分で撮り、その場でインタビューをして文章をつくってしまうことにしたのです。

つまりは、出張ホームページ屋さんです。そうすることで、自分も1日で仕事が終わるし、お客様もすぐに完成してうれしいというWIN‐WINの関係になれたのです。

さらに出張ホームページ屋さんにはもう1つメリットがあります。

お客様にとって価格も安くなるのです。なぜホームページが30万円、100万円という価格になってしまうかと言えば、何度も修正のやり取りをして時間がかかるためです。しかし、この方法だと15万円の制作費で受注しても、制作側は月に10日間も働けば、月収150万円になります。お客様も安くなるので当然喜びます。

時間を短くするだけで、ライバルと大きな差をつけることが可能になります。

ここまで、大ヒット商品を生み出すための秘訣をお話ししてきましたが、7つすべての要素が必要なわけではありません。それぞれの項目について考えて、良いアイデアが1つでも生まれれば、ビジネスで成功することは簡単になります。

まずは無償で人に感謝されることをする

あなたが自由に働きたいビジネスを探せたら、次に見込み客を集め、コミュニケーションを取っていきながら、お客様の声を反映して商品を完成させていかなければなりません。

このときの見込み客の集め方は、一般的なマーケティング手法と大きく変わりません。見込み客が多く集まっているSNSに参加する、あるいは物理的に見込み客が集まっている場所に行ってチラシを撒くなどです。無料の商品を提供していくことで、見込み客集めはグンとやりやすくなるはずです。

個人が勝手に書いているブログやメルマガでも、意外と迷い込んで見に来ている人が少なくありません。ちゃんとしたことを書いて、無料の商品を提供するなどしていれば、100人、200人という単位の読者を集めることは、そう難しいことではありません。

ただし、1万、2万といった人数を集めるとなるとさすがに大変です。

そこで、私がやったのと同じように、自分の見込み客と同じ層の人たちに支持されているブログやメルマガで、自分のことを紹介してもらえるようなネットワークをつくるのです。

ただし、最初の時点では、自分のお客様はそう多くないはずです。すでに人気のブロガーに対して、「自分の100人のお客様に紹介するから」と言っても、相手はあまりメリットを感じてくれないでしょう。

私自身も、最初は700人のお客様しかいなかったので、「私の700人のお客様を紹介するから、あなたの5万人のお客様を私に紹介してほしい」というのは言いにくかったのが本当のところです。

そこで私はまず、自分のメルマガでその人のことを紹介することから始めました。具体的には、「これは」と思う人気のブロガーに、「インタビューさせてください」とお願いしたのです。

インタビューという形でお願いをすると、お願いされたほうも嫌な気持ちはしません。むしろ誇らしいくらいです。そして、インタビューするわけですから直接会うので仲良くなるのも簡単になります。インタビューをしてまずは自分のお客様を積極的に紹介することから始めて人間関係をつくり、最終的に私の商品を紹介してもらうことができたのです。

お客様に対して全責任を負う覚悟がお客様の背中を押す

あなたがビジネスを始めて、見込み客も徐々に開拓でき、無料の商品を提供するなどしてコミュニケーションを図り、商品も完成したとします。

いよいよ売り出す段階になって、商品をヒットに導くコツがあります。

1つは、「期間を限定すること」です。

私がプロモーションというマーケティング手法を知って最初の商品を出したとき、販売期間12時間で5億円を売り上げましたが、12時間に販売を限定したことそのものが成功の1つの要因になっています。

売る側にとっては、できるだけ多くのお客様に商品を手に取ってほしいから、つい

「いつでも販売します」と言ってしまいたいところです。

でも実際には、販売期限を無期限にすると、お客様は「いつでも買える」と思ってしまいます。

それまで、ブログやメルマガを通してコミュニケーションを図り、ある程度の信頼関係を築き、商品に対する期待も高まっていたとしても、実際にお金を払う段になると、お客様はちょっと躊躇するものです。

私の商品にしても、下は10万円から、上は200万円まであります。

お客様は、スーパーマーケットやデパートに行って、数百円、数千円単位のものでも、手に取って「どうしようかな」と迷うものです。まして、数十万、数百万円単位のものを購入しようというとき、迷わないわけがありません。

そうした、お客様の迷いを消し、背中を押す方法の1つが期間限定なのです。

たとえば、12時間に限定することで、「いま買わないと、買えなくなる」というところから、最後の迷いを吹っ切る手助けになるのです。そうして、購入してもらったからには、全力でお客様の要望に応えればいいのです。

もう1つ、お客様の背中を押す方法があります。

それは、「強いオファーを提供する」という方法です。

たとえば、あるビジネスのメソッドを販売するときにも、「月収100万円を目指しませんか」とか、「時間に縛られない自由な生き方を手に入れましょう」といったぼやっとしたことを言ってしまいがちです。

これではまったく説得力がないし、「買おう」という気になれません。

そうではなくて、もっと具体的な約束をするのが「強いオファー」です。

たとえば、私だったらこう書きます。


このビジネスメソッドを実行するだけで、6カ月以内に100万円があなたの口座に振り込まれることを約束します。

もし実現しなければ、購入代金を返却します。

さらに、このビジネスのために費やさせてしまった労力の対価として、30万円をあなたにお支払いします。

もちろん、売れ残った商品もすべて私が買い取ります。

このように、メリットを具体的にして、お客様にはリスクが完全にない状態になるくらい強いオファーにするのです。

ビジネスを始めたばかりのときは実績も少ないので、オファーが弱いと興味を持ってもらえません。だから始めたばかりのときこそ強いオファーが重要になります。

そして強い約束をすることで、自分も覚悟を持って本気でお客様と向き合うことができます。その責任感と覚悟があなたを成長させます。真剣にお客様のことを考え、自分自身も成長していく必要に迫られるからです。

もちろん、100万円稼ぐ方法を知っているのは大前提です。ただ、多くの人が強いオファーを出せないのは、自分を守る気持ちが強すぎてお客様と約束できないのです。

考えてみてほしいのですが、目の前にいる営業マンが「えっと、たぶん、うまくいけばそうなると思います」と言い出したらどう思うでしょうか？　その人から商品を買いたいと思うでしょうか？

そうではなく真っすぐにあなたの目を見て、真剣に「私にまかせてください。必ずできます。責任は私が持ちます」と言われたらどうでしょうか？　この人にならお願いしようと思えるはずです。

強い責任感と使命感を持って約束をする人になることが、成功の1歩目なのです。

私自身、初めて強いオファーを出したときは、メールの送信ボタンを押すときに、手が震えて心臓がバクバクするなかで、目をつむってエイヤ！とビビりながら1歩を踏み出しました。送ったあとも不安でしたし、本当に怖かったのです。

でも、恐怖におののきながらも強いオファーの壁を乗り越えたことで、いまのお金にも時間にも場所にも縛られない自由な人生があります。勇気を持って壁を乗り越えましょう。

実は、これは何もネットビジネスに限ったことではありません。

強いオファーをすることで、たいていのビジネスも人間関係でもうまくいくはずです。たとえば、高額なセミナーに出たいと思って奥さんに切り出しても、まず「いいよ」とは言ってくれません。

それは、そうです。奥さんにはその価値はわかりません。2日間で30万円のセミナーなんて聞けば、「冗談じゃない！」ということになって当然です。

でもこうしたらどうでしょう。

「このセミナーに出たら、6カ月以内に必ず毎月5万円以上稼げるようになる。もちろん、ちゃんと稼げるようになるまでは、お小遣いはいらない。自分でお弁当をつくって切り詰める。それでも稼げなかったら、1年間夜勤をしてでも毎月5万円を君に払う」

こう言えば、「まあ、そこまで言うならいいよ」と言ってくれるでしょう。

営業の仕事でも、ただ単に「うちの商品を買ってください」ではなく、

「この商品を使っていただければ、従来品よりコストが15%低下し、売り上げは30%向上します。もし達成できなければ、商品を返品していただいてけっこうです。商品代金を返却し、ほかの商品に入れ替えるコストも当社で負担します」

このように、得られるメリットをなるべく具体的に提示し、「これをいま申し込まなきゃアホだ」と思えるほどまで、お客様のリスクを完全になくすような強いオファー

をすれば、売り上げはすぐに上がるはずです。

どんなビジネスでも失敗しない、ただ1つのこと

ここまで読んできて、「そんなにうまくいくのか」、あるいは「最初はうまくいったとして永続できるのか」という声があるかもしれません。

ビジネスだからリスクは当然あります。絶対ということは言えません。けれど、ちゃんと技術を習得し、準備を整え、たゆまぬ努力をしていれば、それほどリスクを恐れることはないと確信しています。

どんな商売だって同じです。

テクニックに走ったりしないで、お客様のことをちゃんと見続けていれば、大儲けはできなかったとしても、少なくとも大きな失敗をすることはありません。

そして、一度獲得したファンは、いつまでもついてきてくれます。〝飽きる〟ということは基本的にはありません。そんなの怪しい、嘘だろう、と思うかもしれませんが、

これには理由があります。

ブランドやアーティストが売れなくなるときというのは、ファンが飽きたのではなく、ファンの心が離れてしまったとき、ファンの変化や進化についていけなかったときに客離れが起きるのです。

私自身も、実はそんな経験をしています。

セミナービジネスで成功し、億単位のお金を稼げるようになったとき、狂ったように散財した話をしたと思います。

それまで私は、自分がお金で苦労してきました。借金も微々たるものですがありました。だから、すごく稼ぎたい気持ちは強かったのです。そして、やっと稼げるようになったらなったで、今度は仕事に追われて毎日奴隷のように働かねばならない状況に追い込まれました。そんな苦労をしたので、同じ境遇の人たちの気持ちがとてもよくわかりました。だから多くの人が私のメルマガを購読してくれて、商品を出せば買ってくれたのです。

でも、持ち慣れないお金を持ってしまったことで浮かれた私は、贅沢三昧《ぜいたくざんまい》をするようになりました。メルマガでも平気で「ふと思い立って、ニューヨークに行ってきました」などと、呑気に旅行記を書いたりしていたのです。

そんな私の姿を見て、「なんか、最近の伊勢さん、変わりましたよね」という言葉を残して去っていったお客様がずいぶんいました。

実際の商品は何も変わらないのに、私が変わったためにお客様は離れていってしまったのです。

お金で苦労したにもかかわらず、平気で贅沢をする自分。お金に走ってしまってお客様が見えなくなってしまった自分。そんなお客様の気持ちの変化に気づけなかった自分。

お客様が私のところから離れていってしまって、初めて「このままではまずい」と気づいたのです。

私は初心に戻り、お客様のことを一生懸命に考えるようになりました。だから、もういまでは私に怖いものはありません。

そして、いまのままの自分で一生いるつもりもありません。もっと進化をして、成長をして、自分を高めていくつもりです。お客様の気持ちに寄り添い、ともに成長を続けていけば、何も心配いらないのですから。

あなたに1つだけ伝えていないこと

ここまでプロモーションのことについてお話ししてきましたが、謝らなければいけないことがあります。

実は、あなたに1つだけ言っていないことがあるのです。

それはプロモーションの真髄《しんずい》であり、ネットビジネスもリアルのビジネスも関係ない、どんなビジネスでも成功する究極の秘訣とも言えるものです。

この秘訣を知り、体得すれば、1年以内に1億円プレーヤーになることもできます。

いまのあなたの本業でも、1カ月後には実績が少なくとも3倍になることも可能です。

それだけ強力な方法です。加えて、この秘訣を知れば、奥さん、旦那さん、両親、子ども、友人、上司、部下、同僚との人間関係もとても良くなります。ことによったら、ビジネスを超越した幸せに生きるための法則と言っていいかもしれません。

そのヒントは、次の6つの質問の答えにあります。

この6つの質問に対して、それぞれいろいろな答え方があると思いますが、実は、すべてに共通して言えるたった1つの答えがあります。

ちょっと、頭をひねって考えてみてください。


【質問1】あなたの恋人は……なぜ……あなたに対して怒るのか？

【質問2】あなたは……どんなときに……誰かに友情を感じるのか？

【質問3】子どもは……なぜ……わがままを言うのか？

【質問4】人は……どんなときに……寂しいと思うのか？

【質問5】人は……どんなときに……心が満たされるのか？

【質問6】人は……なぜ……生きているのか？


どうですか？

共通する答えが見つかりましたか？

すべての答えは、次の章にあります。

第4章

あなたが自由な働き方を手に入れるために必要なメソッド

ビジネスは恋愛と結婚の関係に似ている

前章の最後で出した6つの質問に対する答えを明かす前に、「なぜ、あなたはビジネスで稼げないのか?」ということについて話したいと思います。

私の講座を受けてもらっている生徒さんでも、ビジネスのやり方を学び、実践してみてもなかなか稼げない人がいます。

そういう人の特徴は、お客様に対して「一方的に思いこがれている」ということが多いようです。

どういうことかと言うと、自分の商品に関心を持ってもらいたい、買ってもらいたいという気持ちが先走ってしまい、お客様のことに思いがいたっていないのです。

気持ちだけは、関心を持ってもらいたい、買ってもらいたいと思っているので、いろいろ気を使い、サービスをたくさんつけたり、値引きしたり、心にもないお世辞を並べ立てたりします。

でも、正面からお客様に気持ちが向いていないので、気の使い方がどうしてもちぐはぐになり、お客様の心には何も響きません。結局、気持ちが向いていないことがお客様にも伝わってしまい、「どうせ、売り上げが欲しいんでしょう」というのがバレバレなのです。

それなりに商品に価値があり、価格が妥当なら買ってもらえるかもしれません。けれど、こういう場合、ほかにいい商品があると、さっさと乗り替えられてしまうのです。

こういった状態を、私は「恋愛関係のビジネス」と表現しています。

つき合ってほしくて、関心を持ってほしくて、いろいろプレゼントしたり、食事をおごったり、甲斐甲斐《かいがい》しく世話を焼いたり、あるいは相手の好みの異性を一生懸命に演じたりしている状態です。

男性の場合に限定しますが、要するに、やらせてほしくて一生懸命にサービスするのと同じです。だけど、そういう下心は相手にバレバレ。女性から「どうせ、やりたいだけでしょ」というのを見抜かれているので、おごるだけおごらせておいて、いざというときになると逃げられるのが関の山です。

それでも、一生懸命やっていれば、いつか思いは通じ、少しはつき合ってくれるかもしれません。でも、ほかにいい異性が現れると、あっさり乗り換えられてしまうのです。恋愛ですから、お互いに必要とする間は一緒にいるけれども、用がなくなれば必要なくなるからです。

しかたなく、次の相手を求めて一からやり直しです。再び安くない投資をして、一生懸命サービスして、異性の気を引こうとするわけです。

実はビジネスでもまったく同じ現象が起こっています。

なかなか商品を買ってもらえず、いろいろサービスしてやっと買ってもらえたと思ったら、お客様はすぐに目移りしてしまう。

これでは投資ばかりかかって、あまり実入りがないわけですから、なかなか儲からないのも無理はありません。

稼いでいる人は違います。

気持ちがしっかりお客様に向いています。自分の商品に関心を持ってほしい、買ってほしいのではなく、お客様は何を考えているか、困っていることはないか、何を欲しがっているか的確に察知しています。そして、お客様の悩みを解決し、夢を叶えようと努力しています。

そういう姿勢はいずれお客様にも伝わります。「この人が言うのなら聞こう」と聞く耳を持つようになり、無料体験で得られる商品を使うと、なるほど言っている通り悩みを解決してくれる。そうして信頼を得たところで本編が発売されれば、迷いなく購入してくれるわけです。

これは「恋愛関係のビジネス」に対して、「結婚ステージのビジネス」と言っていいかもしれません。

結婚ということは、もう簡単には別れられません。基本的には一生を互いに支え合って添い遂げることを誓う関係になります。

だから、こちらも真剣です。お客様と一生つき合っていくという覚悟で、お客様が成功するためにはどうしたら良いかを真剣に考え、とことん追求します。そういう気持ちはお客様にも伝わりますので簡単には浮気しません。新しい商品がリリースされれば可能なかぎり買ってくれます。また、ビジネスだけではなく、困ったことがあったら相談に乗ってくれるような関係を築くことさえ可能です。

事実、私が対面のセミナーを開くようなときには、もうとっくの昔に私の講座を卒業していった人たちが、いまでも毎回手伝いに来てくれます。

私は彼らに日当を出すわけでもなく、交通費も払わないのに、毎回15人くらいが率先して手伝いを買って出てくれるのです。

彼らはすでに1000万円とか2000万円とか稼いでいる人たちで、なかには私より稼いでいる人さえいます。それでも「伊勢さんがやることなら、何でも応援したいんです」と言ってくれます。

私自身も、恩人である2人のメンターや仲間たちに何かあれば必ず駆けつけ、何の見返りがなくてもできるかぎりの支援をするつもりでいます。

なぜならば「一生ついていく」と誓った人たちだからです。

自分のことをかまってほしい、いい気分にさせてほしいというのが恋愛なら、あなたのことを幸せにしてあげたい、あなたの夢を叶えてあげたいというのが結婚だと思います。

そういう気持ちになれたときに、「この人とだったら、ずっとやっていける」と思って相手も応えてくれるのです。したがって、結婚ステージの関係が築けたときには、おのずと結果もついてくるものなのです。

学校ではけっして教えてくれなかったビジネスに通じる真理

「結婚ステージのビジネス」という考え方は、何もネットビジネスの世界に限った話ではありません。広く一般のすべてのビジネスに共通する真理です。

もっと言えば、ビジネスだけではなく人間関係においても、非常に重要なコミュニケーションの取り方だと思います。

たとえば、営業やサービス業など、対面の仕事をしている方はとくに、「お客様の立場で考えなさい」「お客様のためを思って仕事をしなさい」と口が酸《す》っぱくなるくらいに言われているはずです。まさしくその通りで、お客様のためを考え、お客様の立場に立って対応すれば、ちゃんと結果が出るのです。

人間関係でも同様です。奥さんでも旦那さんでも、親でも子どもでも、上司でも部下でも、相手のことを思って親身になってあげることができればケンカにはならないはずだし、相手も同じようにあなたを親身に思ってくれるはずです。

でも、ここまでは建前です。

では実際問題、あなたが仕事で、上司から「お客様の立場になって考えなさい」と言われてその通りにできるでしょうか。

自分では、お客様のために精いっぱいに考えてやっているつもりなのに、どうも相手には伝わらないし、結果も出ないということが多いのではないでしょうか。

そもそも、「お客様の立場で考えるってどうしたらいいの?」という状態の人のほうが多いのです。

対人関係も同様です。奥さんのために良かれと思ってやっているのに、奥さんはそう受け取ってくれない。子どものために良かれと思って叱っているのに、子どもはちっとも素直に受け取らない。親のためを思って忠告しているのに、どうしても聞く耳を持ってくれない。

これは、あなたが悪いのではありません。

相手の立場に立つ、相手の身になって考えるという訓練を、私たちはしたことがないのです。

学校でも、教師は「相手の身になって考えなさい」とは言うけれど、相手の身になって考えるとはどういうことか、その考え方や方法は教えてくれません。教師もその方法を知らないからです。

たとえば、いじめの問題ひとつ取ってもそうです。いじめっ子に対して、「自分が同じことをされたらどう思うの？　自分がやられて嫌なことはしてはダメなのよ」と諭したところで、いじめるのをやめるでしょうか。絶対にやめませんよね。

いじめられるのがどんな気持ちかが本当にわかれば、子どもたちはおそらくいじめをやめるでしょう。けれど、やめないのは「その子の立場になって考えなさい」と言われたからといって、その子の立場にそう簡単になれるものではないからです。

世の中のほとんどの人たちは、「人の身になって考えてみる」という訓練を受けていないので、その方法を知らないのです。

でもご安心ください。

実は訓練で身につくものなのです。

実際に、私の講座で教えているのも、お客様の立場になって考えてみるとはどういうことか、相手の身になって考えるためにはどうしたらいいかという方法なのです。

そして、あなたもレクチャーを受ければ、ちゃんと身につけることができます。

考えてもみてください。お客様の身になって、ものごとを考えることができれば、商品などいとも簡単に売れてしまうのです。

お客様が欲しいと思うものを提供すれば購入してくれます。お客様が困っていることを解決してあげれば、こちらから売ろうとしなくても「それを売ってほしい」とお客様から言ってきます。

そんな方法を身につけたら最強です。

私自身も人の身になってものを考えるなんてできない人間でした。でも、メンターに出会ってその方法を教えてもらい、いろいろな形で鍛えて身につけることができました。

そして、この能力を鍛えれば鍛えるほどお客様とのつながりが深くなり、よりたくさんのお客様に喜ばれて、結果的に私の収入もケタ違いに増えていったのです。

では、その方法とはどのようなものか。
そのヒントこそが、6つの質問の答えなのです。

なぜあなたは、子どものころにあれほど頑張ったのか？

そろそろ答えを言いましょう。もうあなたも気づいていると思います。
6つの質問に共通しているたった1つの答え、それは「わかる」です。

【質問1】あなたの恋人は……なぜ……あなたに対して怒るのか？
⬇わかってくれないから、わかってほしいから。

【質問2】あなたは……どんなときに……誰かに友情を感じるのか？
⬇わかり合えたとき。

【質問3】子どもは……なぜ……わがままを言うのか？
⬇誰にもわかってもらえないとき。

【質問4】人は……どんなときに……寂しいと思うのか？
⬇誰にもわかってもらえないとき。

【質問5】人は……どんなときに……心が満たされるのか？
⬇自分のことをわかってもらえたとき。

【質問6】人は……なぜ……生きているのか？
⬇自分の存在をわかってもらうため、理解してもらうため。

人は何のために生きているかと言えば、結局、自分のことをわかってほしいから、理解されたいから生きているのです。

子どものころ、なぜ一生懸命に勉強したのか、なぜあんなに駆けっこを頑張ったのか、習い事に行くのは面倒で嫌だったけれど我慢して通ったのはなぜだったのか……。

それはすべて、周りの人に（とくに親に）認めてほしい、自分が頑張ったことをわかってほしかったからです。

私は初めて取った100点の答案用紙を握りしめて、一目散に家に帰って母親に見せたとき、とても喜んでくれたあの日のことを、いまでも鮮烈に思い出します。

反対に、理解されないこと、わかってくれないことは、人にとってとても大きな苦痛であり、悲しみです。

マザー・テレサもこう言っています。

この世で一番大きな苦しみは、
1人ぼっちで、誰からも必要とされず、
愛されていない人々の苦しみです。

人は自分のことを認めてほしい、自分の気持ちをわかってほしい、存在に気づいてほしくて生きているのだ……。そのことに気づいたとき、私自身も突き抜けることができました。

私のメルマガを読んでくれるのも、商品を買ってくれるのも、お客様は「伊勢さんは、やっぱり自分のことをわかってくれている」と思うからです。私がお客様の気持ちから離れてしまえば、お客様も私から離れてしまうでしょう。

だから私は、お客様を理解するため、わかろうとするために全力を注ぎます。けっして完全というわけではありません。

私自身もまだ進化の途中ですが、それでもわかろうと努力し続けるかぎりにおいて、お客様はメールも読み続けてくれて、商品を買ってくれるのです。


どんな優れた商品を開発することより、どんなサービスをすることより、「わかってあげる」ことのほうがケタ違いの大きなパワーがあります。

ひょっとしたら、私が提供する商品なんてお客様は実は何でもよくて、私に自分の存在を認めてほしくて商品を買ってくれているのかなと思うときさえあります。

〝本当に〟その人のことを理解し、わかってあげられるようになると、「商品は何でもいい。お前が持って来るものなら全部買ってやる」というケースは、意外に少なくないのです。

迷惑なお客様――おじいさんの心の底にあった本当の思い

お客様をわかるというパワーはとても強烈です。

ほかのビジネススキルはなくても、お客様をわかることを突き詰めてさえいけば、どんな仕事もうまくいくと私は思っているくらいです。

そのことをズバリ伝えているのが、呉服店でトップ営業だった岸本亜泉さんのケースです。

岸本さんは、自身がもともと持っている資質によって成功した方ですが、「お客様をわかる」ことがどれだけすごいパワーになるか、劇的に示してくれています。

すでに前述した通り、岸本さんは呉服店に入社して半年で、それまでのトップ営業が上げていた売り上げのほぼ倍に相当する月間売り上げを記録し、業界を震撼させたすごい伝説を持っている人です。

入社半年ですから、当然、着物に関する知識がそれほどあったわけではありません。昔からのなじみ客などの基盤もありません。しかも、買ってくれる可能性の高そうなお客様は、先輩の男性営業マンたちがみんな持っていってしまいます。もちろん、商品はほかの営業が売っているものとまったく一緒、特別な営業ツールを使ったわけではありません。

このとき、岸本さんがたった1つやっていたことは、「お客様のことを理解する」ということだったのです。

きっかけは、年に何回か業界共同で開催される、大きな呉服展示販売会に派遣されたときのことでした。入社間もない新人の岸本さんは、ベテランの販売員のお手伝い役として同行したのです。

その会場で、たまたま先輩社員がいないときに事件は起きました。

彼女のいたブースから少し離れたところで、何やら喧騒《けんそう》が聞こえてきました。何だろうと声のしたほうを見てみると、1人のおじいさんが、別の会社の販売員に向かって怒鳴っていました。

気になった岸本さんは、作業をしながら、ずっとおじいさんの様子を観察していました。

するとおじいさんはあちこちのブースをのぞいては、何が気に入らないのか、いちいち声を荒らげて怒り、壁をどんどん叩いてみたり、そこら辺にあるものを投げつけてみたり、とても乱暴なふるまいをしていました。

ほかの会社の販売員たちは、その様子に眉《まゆ》をしかめ、露骨に無視していました。そんな迷惑なおじいさんに誰も関わりたくないのは当たり前です。もちろん、暴れている理由など気にもしません。でも、岸本さんだけは、「なぜ、おじいさんは、こんなに荒れているのだろう」と考えていました。

そうしたときに、ふと、おじいさんの言動から、奥さんに先立たれて独り暮らしをしているということが何となく推測できたのです。

すると彼女は、何を思ったのか、その迷惑なおじいさんに、自分から近づいていって、こう声をかけたのです。

「おじいさん、独り暮らしなのね。家に毎日独りって、寂しいですよね」

すると、いままで暴れていたおじいさんの動きがピタリと止まりました。岸本さんのことを不思議そうに眺めながら、怒りもせず黙って見ていたそうです。

そこで、岸本さんはさらに続けました。

「ご飯を食べるときもシーンとしたところで、買ってきた惣菜《そうざい》とか独りで食べたりして、すごく寂しい気持ちでいるんですよね。奥さんがいたときはもっと楽しく話したり、ケンカしながらでもにぎやかに食卓を囲んでいたんですよね。でも、独りでご飯を食べる寂しさって本当に耐えられないですよね」

その言葉に、それまで暴れていたおじいさんが突然、人目もはばからずその場で号泣し始めたのです。

そして、泣きながら、

「ああ、そう。いつも独りぼっちなんだ。そうだ、俺は寂しかったのかもしれない。こんなふうに暴れてしまって、申し訳ない、恥ずかしいです」

と言ったそうです。

つまり、おじいさん自身も、自分がなぜそんなにイライラしているのかわかっていなかったのです。

実はおじいさんは、独り暮らしの寂しさで誰からも相手にされず、存在を認められず、自分の気持ちをわかってくれる人は誰もいなくて、「自分なんか、もう世の中に必要のない人間なんだ」と勝手に悲観して嘆いていたのです。

けれど、そんな自分の感情に気づかないまま、たまたま訪れた展示会場で、誰からも相手にされず、存在を否定されたような気がして、それで当たり散らしてしまったのです。

おじいさんはひと通り泣いたあと、岸本さんにたくさんの感謝の言葉を言って、「実は孫にプレゼントする着物を買いに来たんだ。ぜひ、あなたから買いたい」と、たくさんの着物を買って行かれたそうです。

その後もおじいさんは、岸本さんの勤めている店に来て、そのたびに新しい品物を買って行ってくれたり、ほかのお客様を紹介してくれたりと、とても応援してくれたそうです。

おじいさんは、着物が欲しかったわけではありません。自分で着るわけではありませんから。でも、岸本さんを応援したくて、着物を買うし、お客様を紹介してくれたのです。自分には何の得もありません。でも、「自分のことをわかってくれる」というのは、ほかのどんなメリットよりも大きいものなのです。

相手を理解してあげるという能力はビジネスを超える

世の中のほとんどの人は、他人のことをわかるための訓練を受けていません。

では、岸本さんは、なぜその人でも気づいていない本当の気持ちが理解できたのでしょうか。

実は、岸本さんは家庭環境が複雑だったことで、子どものころから苦労を重ねたことが、いまの彼女の背景にあるようです。

両親の仲がうまくいっておらず、お父さんは家に帰って来ないし、お母さんはいつも機嫌が悪くて岸本さんに当たるような生活で、親の愛を感じることができなかったというのです。

そういう生い立ちなので、子どものころから人生のつらさや悲しさといった気持ちをたくさん経験していた岸本さんは、思春期になると、その経験によって得たものを、人を傷つけることに使っていたそうです。

自分がたくさん傷ついて悲しい経験をしたからこそ、人はどんなことを言われると傷つくか、何をされるとつらいかということを、彼女はわかりすぎるほどわかっていたからです。

その後、岸本さんは、両親が本当は娘のことをとても大切に思っていたのに、何もしてやれないことに心を痛めているということがわかって、両親と打ち解けました。

その後、何とか協力して家族は立ち直りました。

そして、彼女が呉服屋さんに就職したとき、いままで人を傷つけるために使っていた力で、人を救おうと決意したそうです。

岸本さんに限らず、優秀な営業というのは、人の心を本当に理解しています。

世の中の人は、人の心をわかる訓練をしていないはずなので、たまたまそういう能力を開発できた人が、信じられないような業績を上げてしまうわけです。

さらに、この力は仕事だけのことではありません。身につけることができれば、人間関係も非常に良くなります。

たとえば人が怒るのも、やはり理解されてないからです。

夫婦でケンカになるときも、よく「食べ終わった食器をすぐに片づけてよ！」といった奥さんのささいなひと言から始まったりするものです。

これに対して旦那さんは、「食べたばかりで、すぐ動く気になれない」と反論し、奥さんは「子どもに示しがつかない」などと言い返し、その応酬の果てに、ついつい熱くなってバトルに突入ということになりがちです。

お互いに理屈で言い争っているようですが、実は理屈ではありません。

理屈なら必ず決着がつくのに、そうはならないからです。

旦那さんは、「食べたばかりで、すぐ動く気になれない」から、奥さんの意見に反対しているわけではありません。

口ではそう言っていますが、本当は職場で嫌なことがあって、何とか今日１日乗り切って帰って来て、やっとご飯を食べてゆったりした食後の満足感に浸っているときに、「すぐに食器を片づけて」と言われた。「俺だって仕事を頑張ってるのに、それをわかろうともしないで、頭ごなしに言うことないじゃないか」というような思いがあるわけです。

でも、それを口ではうまく説明できないから、もっともらしい正論を持ってきて反論しているだけなのです。

奥さんは奥さんで、昼間、遊んでいるわけではなく、子どもの面倒を見たり、家事に精を出しているわけです。今日のご飯だって、外で働いてくれている夫の健康管理をあれこれ考えてつくっているのに、そういうことを何もわかってくれない、自分だけ晩酌《ばんしゃく》のビールでも飲みながらいい気分になっているという気持ちなのです。

でも、自分のそういう気持ちは自分でも理解していません。とにかく、このイライラする思いをぶつけずにはいられないから、その場で思いついたもっともらしい正論として「子どもに示しがつかない」と夫をなじってしまうわけです。

お互いに言っていることと本当の気持ちが違うわけですから、相手の言い分を打ち負かそうとしたところで、すれ違いになってしまうだけです。

もしここで旦那さんが、「そうだな、昼間、子育てとか、家事とか全部まかせきりにしちゃってるよな。本当は君もキャリアアップを目指していたのに、俺が子どもを欲しがったから、自分のキャリアより家庭を選んでくれたんだっけ」とわかってあげられれば、「食器を片づけて」と言われるくらい、いちいち腹も立たないでしょう。

奥さんにしても、「そうね。仕事をしていれば、嫌なこともいろいろあるものね。家に居るときくらい、好きにくつろがせてあげてもいいわよね」とわかってあげられれば、いちいちとげのある言い方をしないでしょう。

相手のことをわかることで、人間関係の軋轢《あつれき》のほとんどは解消すると言ってもいいでしょう。

実際、私の講座を受けた人から、「子どもを怒らなくなった」「人の態度に腹を立てることが少なくなった」という声を本当によく聞きます。

子どもに対しても、態度が悪いと親としては叱りたくなるけれど、子どもなりに理由があってやっていることです。あなたも子どものころ、親に対して同じように理由があったはずです。

そこがわかると、怒りは持続しません。子どもは子どもで、考えていることがあるんだよなと気づくと、怒るという気持ちもなくなるということなのです。

あなたの生き方を変える「理解レベルの4段階」

具体的に、相手のことをわかるためのちょっとした訓練法については、第5章でお話しします。

ここではまず、相手のことをわかる、相手を理解するとはどういうことなのかということについて考えてみます。

相手のことをわかるためには、本当にわかっているかどうかのレベルがあります。

私はこれを「理解レベルの4段階」と呼んでいます（198ページ図参照）。

▼理解レベル0

理解レベルゼロは、相手を理解しようとしていない状態です。理解しようとしていないので、まったく相手のことをわかっていません。まさにゼロです。

でも、これが普通の状態です。

SNSを利用している人に、「SNSに登録している友人のなかで親友はいますか」と聞いたら、平均人数が0・79人だったそうです。つまり、1人に満たないわけで、SNSの友人のなかに親友がいない人も多くいるわけです。

SNSやメールで頻繁にコミュニケーションをとっていながら、心の底でつながっている人が1人もいないという状態。これが現代人の普通の状態だと思います。

メールも電話もなかったころは、人間同士が直接話すか、せいぜい手紙くらいしか通信手段がありませんでしたが、それだけに人と人のつながりが濃密でした。

手紙にしても、自分の手で一生懸命に書くわけですし、相手に届くのは数日後ですから、そんなに頻繁にやり取りできません。文面の1つひとつを丁寧に考えて、きっと相手の読んでいる姿を想像しながら心を込めてしたためるでしょう。

そうした濃密なコミュニケーションからすると、メールにしてもSNSのコメントにしても、気軽になった分、回数は増えましたが、どんどん軽く表層的になっているような気がします。

ネットの世界は、つながってはいるけれど、自分のことは誰からもわかってもらえず、みんな孤独で寂しいから、理解してあげるとすごく喜んでくれるのだと思います。

▼理解レベル1

このレベルは、とりあえず相手を理解しようとしているレベルです。

理解しようとはしているけれど、やっぱり理解できていないし、相手も自分のことを理解してもらっているという感じがまったく伝わってこないので、この段階では、実はパワーとしてはゼロと同じです。

つまり、理解しようという思いが、相手に伝わらなければ意味がないということです。

▼理解レベル2

理解レベル2は、理解しようとしている姿が相手に伝わっている段階です。

この段階では、相手のことは何も理解できていません。ちゃんと向き合ってはおらず、表面だけ見てわかったような気持ちになっている場合です。

「理解してくれようとしているんだな」ということが伝わるだけでも、相手の心に影響を与えることができる場合がないわけではありません。

ただし、理解が的外れだと逆効果になる場合が多いので、注意が必要です。

安易に「ああ、それわかる」と同調すると、相手としては、「そんなに簡単にわかられてたまるか」とか、「何もわかっていないのに、わかったような顔するな」という反発が起きやすくなります。

人は、自分のことをわかってほしいと思う反面、簡単にわかった振りをされたくないという思いも強いのです。

いわゆる営業トークは、使い方を誤ると危険です。

「俺のことを気遣っているのではなく、マニュアルだからやってるんだろう」ということが相手に伝わると、ただ反発を招きます。

▼理解レベル3

このレベルは、相手が1%しか理解されなかったというレベルから、完全に100%理解されたレベルまで幅が広くなっています。

相手のことを理解しようと意識して努めれば、すぐに100%まではいかなくても、低いレベルの理解なら、このレベル3にはすぐ到達すると思います。

まず、相手の言うことをおうむ返しするだけでも、2から3のレベルに上がります。そこから先は、理解レベルが10%、20%、30%とジリジリと上がっていく感じになります。

まず相手のことを理解するときに重要なことは、「自分の考えというフィルターを通して相手の話を聞いているのだ」と自覚することです。

本当は自分の考えを外して、相手のことを100%受け入れられればいいのですが、人間である以上、一度自分のフィルターを通してしか相手を見られません。

つまり、「フィルターを通している」ということを自覚したうえで、常に、自分の考えで相手をゆがめていないかを注意することが必要なわけです。

もし、自分の考えで見てしまうと、相手にとってみれば、「それは、私の考えではなく、あなたの考えでしょう」ということになるからです。

けっして、安易に相手のことをわかったように思わないことです。「わかってしまった」と思ったら終わりです。

自分の考えではなく相手の考えで聞く、自分の考えを外して相手とどこまで向き合えるか、それを突き詰めることによって、限りなく100％の理解に近づいていくイメージです。

理解度が進めば進むほど、基本的には人間関係は良くなり、信頼が深まります。100％の理解になると、阿吽《あうん》の呼吸、あるいは以心伝心というレベルですから、親友、同志、師匠、愛弟子《まなでし》といったレベルの間柄を築けることになります。

ただし、ここで注意したいのが、仮に相手のことを100％、もしくは100％以上に理解したとしても、信頼関係がないところでズバリ指摘してしまうと拒絶される危険があることです。

これは、相手のことを察知する能力が生まれついて高い人にありがちなケースです。こういう人がまれに実在していて、そんなに詳しく話していないのに、ズバリと相手の本心を突いてしまうことがあるのです。

信頼関係ができていないのに、自分の隠していた恥ずかしい部分とか、みっともない部分をズバリ指摘されてしまったとしたらどうでしょう。まるで、監視でもされていたかのように、自分の心を暴《あば》かれ、丸裸にされてしまったら、かえって人間関係を壊すことになります。

▼理解レベル4

このレベルは奇跡のレベルです。相手本人でさえ気づいていないことがわかるというステージに入っていきます。

もし、あなたが自分自身でも気づいていなかった本当の心を理解されてしまったらどうでしょう。

実は、ものすごい感動が起こるのです。

「士は己を知る者の為に死す」という言葉もある通り、自分のことを理解してくれる人のためなら死んでもいいというのが人の心なのです。

だから、100％の理解を超えたときに、ほとんどの人は泣きます。

「ああ、ここに私のことを理解してくれる人がいた。やっと私の存在を認めてくれる

「理解レベルの4段階」

理解のパワー

【理解レベル4】 究極の理解
相手が自分の気づいていないことまで理解されていると感じている状態 100%以上

【理解レベル3】
相手を理解し、相手も理解されていると感じている状態 1~100%

【理解レベル2】
相手を理解しようとしているのが伝わっている状態

【理解レベル1】
相手を理解しようとしているが伝わっていない状態

【理解レベル0】
相手を理解しようとしていない状態

（理解レベル0～2）0%

人がいた」というのは、人にとって究極の喜びなのです。人は、理解されるために生きているのです。

あなたが目指すのは、このレベル4です。

このレベルに到達するためには、100%の理解を超えるわけですから、完全に自分の考えを外し、すべて相手のことを受け入れることが必要です。

相手を全部受け止め、それがたとえ自分にとって都合の悪いことでも、自分の信念とかルールに反することでもすべて受け入れるというところに入ってくると、100%を超えるステージに到達します。

これを私は『究極の理解』と名づけています。

『究極の理解』は奇跡のレベルですから、ここに到達すれば、普通ではあり得ないようなことが起こります。

なぜ、商品説明もしないのに売れてしまうのか。

なぜ荒れていたおじいさんが従順になってしまうのか。

なぜ200万円もの商品をネットで買ってくれるのか。
すべての理由は、この『究極の理解』にあるのです。

あなたの働き方を唯一変えることのできる『究極の理解』

『究極の理解』は、完全に自分を忘れて、自分を消し、相手に成りきるというまさに究極の状態です。

完全に相手と心が同調し、同じ気持ち、同じ感覚を共有することができます。しかも想像ではなく、実感として受け止めることができます。

ですから、つらい体験をした人の話を聞いたときも、100％の理解は「つらかったんですよね」になりますが、『究極の理解』になると同じ痛みを分け合う感じです。

ところで、目の前にその人がいれば、そんな関わり方ができるというのはなんとなく理解できると思いますが、ネットの場合は、直接話をすることもまれで、多くの場合、お客様とのやり取りはメールです。

ネットを介して、しかも数万人のお客様と同時に、『究極の理解』と言えるような関係を築くことができるのでしょうか。

事実、できています。

私のメルマガの読者は、いま4～5万人いらっしゃいます。

そのうち新しい商品を出しますと言うと、反応してくれる人がだいたい1万人といった規模になります。

私はその1万人に情報発信し、アンケートへの感想や無料提供したエクササイズの感想といった文面から、お客様のことをわかろうと努力し、ある程度それができるようになりました。

だからこそ、私のメールや無料お試しでビデオを配信しているブログを読んでくれて、私の商品を買ってくれるのだと思います。

私は、メルマガを同時に何万人にも送っているけれども、受け取っている人は、「これは私へのメッセージだ」と思って受け取ってくれていることになります。

その状態をあえて理解しようとするなら、優れたアーティストがつくり出す世界観に似ているかもしれません。

たとえば、人気の歌手、俳優、映画監督、小説家など、卓越した才能を持つ人たちというのは、自分のファンが自分に何を求めているかをよく理解しているのだと思います。

ファンの心をつかんで放さない作品、あるいは自分のスタイルを含めた世界観をつくり出すことによって、いつまでも愛され続けます。

たとえば歌手であれば、何万、何十万というファンに向けて歌っているのだけれど、受け取るファンの側にしてみれば「これは、私に対する応援歌だ」と受け取ってもらえるわけです。

実際、私にはそんな才能はないけれど、お客様に思いを馳せ、「いまどんなふうに過ごしているだろう」「どんなことを思っているだろう」「何を考えて仕事をしているのだろう」と、想像をふくらましていくことで、だんだんとお客様と通じ合えるようになっていきました。

『究極の理解』こそ、あなたの働き方を変える唯一の方法です。

それが、私の答えです。

第5章

あなたもお金と時間と場所に縛られない働き方ができる

私がこれまでの人生で得たもっとも大事な宝物

私は学生時代、深い考えもなく無謀に起業して、いろいろと紆余曲折《うよきょくせつ》しながらもビジネスを軌道に乗せ、お金と時間と場所に縛られない自由な働き方を手に入れることができました。

けれど、私がこれまでの人生のなかで得たもっとも大事な宝物は、お金でもなく、海外旅行の思い出でもありません。そんなものより、ビジネスパートナーやお客様たちとの深いつながり、強い絆《きずな》こそが私の宝物です。

私のお客様は、「ネットビジネス成功のメソッド」の講座を学び卒業していきますが、いつまでも私のお客様として、生涯ずっとおつき合いをしていく相手だと思っています。実際に、何年もつながっているお客様もたくさんいます。

私がいま、プロモーションのノウハウや『究極の理解』を全国で教える学校づくりに邁進《まいしん》しているときにも、その構想を話したら、お客様やビジネスパートナーの皆さんが、「協力しますよ」と手を挙げてくれました。

彼らは何も得ません。それでは申し訳ないと思い、費用の足しに何かをお返ししたいと申し出ても、「いいんですよ。伊勢さんにはいつもお世話になっているから、私が協力したいんです」と言って受け取らないのです。

こういう人と人のつながりや絆は、お金では代えられない価値があり、それ自体が得難い幸福です。

ビジネスで成功したと言っても、世の中の億万長者から比べたら私が手にした財産は本当にたいしたものじゃないと思います。けれど、どんな成功者より私は幸せじゃないかと思っています。

たしかに、お金はたくさん稼いだけれど、周りに信頼できる人が誰もいない、いつか自分の地位を脅かすやつが現れるのではないかと、いつも疑心暗鬼になっている人より、私のほうが絶対に幸せです。

名前を挙げさせていただくなら、メンターの平秀信先生、ミスターX、ビジネスパートナーの村上さん、白石さん、河本さん、そして、いま一緒に学校を運営している岸本さん、家族や支えてくれた女性たち、ダメ社長の元で一緒に頑張ってくれたたくさんのチームメンバー、いつも助けてくれる多くの同業者の人たち、私に粘り強くミッションの大切さを説き新しいステージに引き上げてくれた岩田さん、私の元から巣立ちそれぞれで活躍しながらいつでも馳せ参じてくれる仲間たち、居候させてくれた大事な友人、そのほかにも挙げればきりがないほどの人に支えられて、いまこうして生きています。


もう私には将来の不安も何もありません。

もし私が何らかのアクシデントで働けなくなったり、会社が倒産して財産が全部なくなってしまっても、「文無しになっちゃったので、すまないけど毎月100万円くれないかな」とお願いしたら、おそらく3人くらいは応じてくれるでしょう。

それくらいの人間関係を築いていると断言できます。

私がそうしたつながりをつくることができたきっかけは、お客様がお金にしか見えなくなったことに危機感を持って自分を変え、「自分が本当にしたいのは、お金を儲けることでも贅沢することでもなく、1人でも多くの人を幸せにすることだ」と本気で思ったことです。

平先生を見ていても、本当に素晴らしい生き方をされているなと思うのは、先生が億万長者だからでも、ビジネスの天才だからでもありません。本当に多くの人に慕われているからです。

おそらく、先生が「毎月100万円ちょうだい」と言ったら、私の3人どころではなく、30人以上は応じる人がいるはずです。もちろん私もそのうちの1人ですが。

だから、私なんてまだまだです。足下にもおよびません。だから、もっと多くの人を幸せにしなくてはと思います。

それ以前は、お金を儲けて贅沢に使ってもちっとも楽しくありませんでした。

でもいま、1人でも多くの人に伝えなくては、1人でも多くの人を救わなくてはと思って働いているこの瞬間が、すごく満ち足りています。

世の中に貢献するとか、あるいはお客様の役に立つこと、人に喜んでもらえることは、いまの私にとって大きな喜びであり、やりがいです。

そんな働き方を手に入れる方法は、『究極の理解』を手に入れることなのです。

『究極の理解』を手に入れるための4ステップ

私が手に入れたような、お金と時間と場所に縛られない自由な働き方をするために
あなたがすべきことは、起業することでも、商品づくりをすることでもありません。
まず、『究極の理解』という能力を身につけることです。
これは、新しい働き方の真髄である以前に、人間関係にとても大きく作用する能力
です。
言ってしまえば、この技術さえ身につければ、あなたが困っている問題のほとんど
すべては解決してしまうと言っても過言ではありません。
そもそもあなたは、なぜ現状から抜け出したいのでしょうか。

収入が低くて結婚もできないから？
将来的にも収入が増えそうな見込みがないから？
いまの仕事がつまらなくて、やりがいを感じないから？

自分だけができる自分の仕事がしたいから？

いろいろ理由はあるでしょう。

しかし、それは単純に転職することや起業することで抜け出せるでしょうか。

いくら転職をしても、あなたの持っているスキルが変わらなければ、状況は現状と変わりません。

まして起業となると、もっとハードルは高くなります。

必要なのは、転職することや起業することではなく、あなた自身が変わることです。

たとえば、岸本さんは、なぜ呉服屋さんに入社して半年でトップ営業になれたのでしょうか。着物の知識や、営業経験はなかったけれど、『究極の理解』という能力を持っていたからです。

この能力さえ持っていれば、どんな商品でも売れるでしょうし、販売員以外のどんな業務についても成功することができるでしょう。

『究極の理解』という能力を身につければ、転職も自由、収入も思いのまま。そして、周りの人との良い人間関係を保ち、あなたのことを親友、同志、もしくは、師匠と慕ってくれる多くの仲間と出会うことができるはずです。

そうしたら、あなたの人生にもう何も怖いものはないと思いませんか。

『究極の理解』は、誰でも得ることができます。

これさえ身につければ、現在のあなたの仕事のなかで、すぐに結果が出るはずです。

そこでここからは、『究極の理解』を手に入れるために実践してほしい方法を少しだけ教えます。あなたがいまから始められることは、ステップ1〜ステップ4の4つだけ。

まずは実践してみてください。

ステップ1　感情のボキャブラリーをより多く持つ

相手のことを100％以上理解するためには、まずあなたが相手とまったく同じ気持ちになるということです。

相手の状況を想像し、そこで感じる悲しさとか、苦しさとか、もどかしさとか、つらさを、自分がその人になったつもりで考え、同じように、悲しみ、苦しみ、もどかしさ、つらさを感じることが必要です。

たとえば、最近、実際に私が個人セッションをした人は、話を聞いていると「いいように使われる」という言葉がすごく頻繁に出てきて気になりました。

その場合、どういう状況なら「いいように使われる」と思うのだろうと、そこから入ってストーリーを組み立てていきます。

使われるってどういう感じなのかな。

きっと職場で、安請け合いをしてしまうんだろうな。

そうしたら、どんなことが起きるのだろうか。

安請け合いをしてしまって後悔して、神経をすり減らしながら仕事して、それでも、そうしないと自分に価値がないみたいに感じているのだろうか。

断ると嫌われてしまう、人が離れていってしまう、そんな思いなのだろうか。

自分の考えを空っぽにしながら、そのときの相手の具体的な状況、精神状態になりきることができると、相手の本当の心のなかを理解できるようになってきます。

それが『究極の理解』です。

だから、悲しい経験、つらい経験を多くしている人ほど、人の悲しみやつらさがわかるのです。したがって、感情のボキャブラリーを普段からたくさん経験してため込んでおくことが必要です。

多くの人は、自分自身の感情にすら向き合っていません。

怒った、イライラした、悲しかった、つらかったなど、感情を見つめることをせずに、ただ反応してしまいます。なぜ怒ったのか、なぜ嫌だったのか、前章での夫婦のケンカの話ではないですが、感情の深い部分を見ずに、ただ反応をしてもっともらしい正論を持ち出してしまいます。そうではなく、本当の自分の感情をいつも見つめる必要があります。

本を読むのでも、映画を観るのでもいいでしょう。

自然に触れたり、旅行をしたり、新しい体験をしたり、とにかく感情が揺さぶられるような体験をより多くし、そのときの自分の感情を深く観察することが、第1のステップです。

ステップ2 映画の登場人物の心情を想像してみる

感情を揺さぶられる体験を多くするために、一番簡単な方法は、小説を読んだりドラマや映画を観たりすることです。

とくに、映画がお勧めです。

映画を観ながら、主人公はいまどんな気持ちでいるか、何を考えているのかを想像してみます。セリフや行動から、自分を空っぽにして主人公の気持ちになって、その出身や育った環境まで想像してみます。

これは、非常に手軽で取り組みやすいシミュレーションです。

なぜなら、映画というのは、ひと言で言うなら、登場人物の心の葛藤《かっとう》を描くものだからです。

なぜこの場面でそのセリフを吐くのか、なぜこんな行動を取るのか。

それは脈絡もなく、ただ単にストーリーの面白さのためだけに構成されているわけではないからです。製作者や脚本家は、主人公に映画に登場しないディテールまでそろえ、セリフや行動まで意図を持って映画をつくっているからです。

一見すると、支離滅裂に見える主人公の行動にも、よくよくわかってくると、なんらかのトラウマがあったり、背景があるための行動なのだということがわかってくるはずです。

ステップ3 さまざまな気持ちのバリエーションで手紙を書いてみる

これは、私のセミナーや講座でも実際にやっている方法です。

訓練として非常に効果的で、また、『究極の理解』というものがどういうものなのか、実感として納得しやすい方法です。

1 感謝の手紙を書く

手紙の相手は誰でもかまいません。
奥さん、旦那さん、親といった相手だと書きやすいでしょう。
相手を設定したら、普段言えない感謝の言葉、ありがとうという思いを伝える手紙を書きます。

たとえば、奥さんが相手なら、

「いつも家事をしてくれてありがとう。子育てをしてくれてありがとう。本当に感謝しています。それなのにわがままばかり言ってしまってごめんなさい」

といったようなことを書き綴《つづ》っていくのです。

感謝の手紙は、自分が相手を理解しようとする段階であることが実際にわかってきます。

2 相手の気持ちをそのまま手紙に書く

次に、同じ相手に対して、その人があなたにわかってほしい、理解してほしいと思っているだろうことや褒めてほしいと思っていることを書いていきます。

同じように、奥さんが相手なら、

「たぶんお前は俺よりも大変だと思う。子育てをしながら仕事もして、いろいろ心配事もあるだろう。でも、自分のことより家事や育児を優先してくれて、本当は不安を抱えているけれど、忙しそうにしている俺に遠慮して言えないでいるね。そうして自分のなかに、全部ため込んでしまっているんだろうね」

といったような手紙になると思うのです。

相手の気持ちを手紙に書くというのは、相手を100％理解する段階であることがわかってきます。

3 2つの手紙を読み比べてみる

2つの手紙を自分で読み、感情の違いを感じ取ってみます。

最初の感謝の手紙は、自分でもグッときてしまうはずです。実際に、セミナーで同じことをやってもらうと、書いている本人が感きわまって泣いてしまうことも多いのです。

でも2番目の、相手の気持ちを書いた手紙は、書いている本人の感情ではないから、冷静に読めるはずです。

つまり、自分の考えを空っぽにして相手のことを理解できているかどうかを知る段階です。

不思議なもので最初の手紙のように涙は出てこないかもしれません。それは独りよがりの自分の世界から脱して相手に強くフォーカスしているからです。

もしこの段階で、あなたが泣けるほど、相手の苦しみや痛みやわかってほしいつらさを感じることができたらかなりのレベルにいると自信を持ってください。

4 2つの手紙を相手に渡して反応の違いを見る

最後に、その2つの手紙を相手に渡して反応の違いを見てください。

すると、おそらく相手のリアクションは自分で読んだときと真逆になるはずです。感謝の手紙を受け取ると、それなりに感動してくれるかもしれません。でも、泣いたりはしないはずです。

これに比べて、2枚目の相手の気持ちを書いた手紙は、1枚目とは比べものにならないくらい感動するはずです。

直接的に感謝の言葉をかけられるより、自分が認められたいと思っていることを言われるほうが、人は感動します。なぜなら、それは自分の思いそのものだからです。

これに対して感謝の言葉は、相手の思いなので、うれしいのはうれしいのですが、2枚目の手紙ほど心に響かないのです。

このように、自分の考えで相手を見ているときと、相手の気持ちになって見ているときの違いを見比べることで、感覚として相手の気持ちになるとはどういうことかが、だんだんわかってくるようになるのです。

さらに毎月1回、相手を変えて同じように2つの手紙を書き、何度も繰り返し訓練するとよいでしょう。

この方法のいいところは、訓練をしながら周りの人との人間関係が良くなることです。恥ずかしがらずに、ぜひやってみてください。

5 自分への手紙を書いてみる

これは、1から4までとは別のものです。

自分自身にあてて書く手紙は、相手の気持ちになるということとはちょっと違うかもしれませんが、私自身がやってみてとても気持ちがすっきりしました。

それに、奥さんや両親に改めて手紙を書くのは少し照れくさいというとき、肩慣らしという意味でも、自分あてに手紙を書いてみるという方法を試してもいいかもしれません。

ただし、自分が自分にあてて書く手紙ではありません。相手が自分あてに手紙を書いてくれるとしたらという想定で綴ります。

相手は奥さんでも親でも、上司でも部下でも誰でもかまいません。

ただし、大事なことは、その人がもし自分に手紙を出すとしたら、どういうことを書くだろうと想像して書くことです。

私は、「母親がもし僕の誕生日に、僕あての手紙を出したら」という設定で書いてみました。

その結果どうなったかというと、私が持っていたコンプレックスは、すべて妄想だったということがよくわかったのです。

第2章で話した通り、私にはできすぎる姉がいて、そのためにいつも劣等感を抱えていました。親が期待しているのは常に姉で、私はいらない子でした。

姉に比べてできの悪い私は、親から愛されていない、期待されていない、大事にされていないとずっとひがんでいました。

私のビジネスが軌道に乗って、姉をはるかに超える収入を手に入れ、いろいろな実績を上げるようになっても、やっぱり両親が自慢するのはいまだに社会的に有名な企業に勤めている姉です。

結局、私が何をやっても親は関心を持ってくれないのだなと、少し寂しい気持ちを抱えていました。

そういう気持ちを抱えながら、母親が自分あてに出した手紙を書いたわけです。つまり、その内容は本当は私が母親に言ってほしいことだったのです。

「隆一郎が生まれて初めてこの手に抱いたときのことを、いまでも鮮明に覚えています。本当にうれしかった。モンチッチのように毛むくじゃらで驚きましたが、本当に幸せでした。初めての男の子だったし、末っ子だから可愛くてしょうがなくて、目のなかに入れても痛くないくらい可愛がって、ものすごく大事でした。学校から帰って来て、甘えてひざの上に乗っかってくるときは言葉では言い表せないほど愛《いと》おしくなりました。お姉ちゃんと違って勉強ができないのも、ついつい私が甘やかしてしまったからだと思っていました。それではいけないと思って、あなたに厳しくしたこともあります。何で勉強をしてくれないのか、言うことをきかないのか、と可愛いがゆえに悲しかったですし、そのことで傷つけることも言ってしまったと思います。ただ、1つわかってほしいのは、私はいつも隆一郎が将来幸せに過ごせるように、健康でいてくれるように願っていました。ご飯をたくさん食べてくれるのもうれしかった……続く」

あくまで、母親が書いたという設定なのです。でも、それは全部、私が母から言ってほしいことでした。

しかし、よくよく考えてみると、私が勝手に書いた母親の気持ちでありながら、実のところ、母親の気持ちと一致しているのではないかと思えてきたのです。

誰かがあなたに手紙を書くとしたら……。これはあなたの気づいていない本当の気持ちを理解するためのものかもしれません。

私はこの手紙を書いたあと、両親との関係が変わりました。それまでは、親孝行をしようと旅行やものをプレゼントしていましたが、長い時間話すことができなかったのです。心のどこかに自分でも気づかないわだかまりや壁があったのかもしれません。両親に本当の気持ちを打ち明けることも少なかったように思います。

でも、この手紙を書いた後、両親と会ってお寿司を食べに行ったときのことです。いままで心の隅では両親と話すことをどこか嫌がっていた自分が、何時間も普通に話すことができたのです。

それから、すごく気持ちが楽になりました。それまで私は資産を構築するためには家を建てるなど愚の骨頂《こっちょう》だと思っていたのですが、古くなった家を建て直してあげるのもいいかもしれないと、素直に思えたのです。

トラウマという表現が正しいのかはわかりませんが、何かトラウマのようなものが消えて、正面から愛せるようになりました。

迷惑ばかりかけてきた息子です。もっともっと親孝行したいですし、お父さんお母さんの子どもで良かった、だからこんなに幸せな人生を送っているよ、と言える自分でありたいです。

ステップ4 日々相手の言葉のなかに隠されているものを探してみる

私自身、いまでも日々のなかで、相手の言葉の裏にあるものを見ようという気持ちでいつも接しています。

それは、お客様と話しているときだけではなく、うちのスタッフやビジネスパートナーの皆さんと話をしているときにもそうしています。スタッフからしたら、「どこが？」と言われるかもしれませんが。

あるいは友達からつき合いで行くクラブやキャバクラのお姉さんまで、とにかく人と話しているとき、「この人は、口ではこう言っているけど、本当はどうなんだろう」と考えながら聞いています。

そしてうっかり、相手の本当の気持ちを『究極の理解』で相手に接してしまうと、飲みの席だろうとカフェだろうと、相手が泣き出して困ることもあります。でも、カウンセリングでもなく普通に話をしているときでも、人は本当の思いをふいに突かれると、とても感動するものなのです。

普段、仕事をしているときも、お客様の気持ちにいつも寄り添うために暇さえあればメールをチェックし、お客様からの感想やアンケートを読んでいます。

するとメールのテキスト文を読んでいるだけでも、言葉にしていない思いが伝わってきます。

お客様は、お願いすればアンケートに答えてくれたり、感想を送ってくれたりしますが、本当のところはなかなか言ってくれないものです。遠慮もあれば、疑心暗鬼もあります。自分の心をのぞかれるのは、あまり気分のいいものでありませんから。

でも実は、行間のなかにちらちら本心が隠れているものです。それは、自分の心のフィルターを通してみると、どうしても見えづらいけれど、完全に外してみると見えるようになるのです。

実際に、私がどうやっているかというと、お客様のアンケートを読む前に、自分のフィルターを完全に外してしまって、お客様になって心を置き換えて、彼らが見ている景色を見るのです。

ですから、まずは気持ちをゼロにセットしてから読むようにします。

たとえば、子育てをしている主婦の方からのアンケートだとしたら、私がその主婦の気持ちになって考えます。

朝は何時ごろ起きて、まず何をするだろうか。
子どもを起こすとき、どういうことを思うのだろうか。
旦那さんが起きてきてどういう会話をしているのだろうか。
朝はどんな感情を持っているのだろうか。
子どもと旦那さんを送り出して洗濯しているときの気分はどんなだろうか。
買い物しているときは、何を考えながら買っているのだろうか。
どんな気持ちで夕食の支度をしているのだろうか。
なんで私のメルマガを読むようになったのだろうか。
いつ私のメルマガを読んでいるのだろうか。
メルマガを読みながら、何を考えているのだろうか。
お小遣いが欲しいのだろうか。
子どもの学校の学費が心配なのだろうか。

それとも将来の老後の不安なのだろうか。

どんなつもりで、このアンケートを書いたのだろうか。

とにかく、伊勢隆一郎という人間がアンケートを読んでいるのではなくて、完全に主婦の気持ちで、その人がアンケートを書いている様子を考えながら読むことがいいのです。

本当に欲しいものが見つかったとき、あなたは自由を手に入れる

私がプロモーションと出会ったとき、「これからはお客様のためのビジネスをしよう」と心に誓いました。そして、人のためにやったことは、そっくり自分に返ってきました。

私は3月3日のひな祭りの生まれなのですが、2年前の誕生日の日に、何気なくパソコンの電源を入れメールチェックをしました。

メールを開くと、そこには200通以上のメールが届いていました。びっくりして開いてみると、私の講座を受けてくれていたお客様からの誕生日のお祝いのメッセージだったのです。それも、ただ「おめでとうございます」ではなく、とても心のこもった長文のお祝いでした。

お客様の誰かが私の誕生日をたまたま知っていたようで、「みんなで伊勢先生にメッセージを送ろうよ」と呼びかけてくれたようなのです。

本当にうれしかったし、感動しました。

誕生日のお祝いだけではなく、1つのプロジェクトが終わるたびに、本当にたくさんの感謝のコメントをいただきます。

それは、すべて私の商品を買ってくれた人で、本当は私が「お買い上げありがとうございます」と言わなければいけない相手です。でも逆に、「伊勢さん、本当にありがとうございます。伊勢さんのおかげで私たち家族は救われました」といったお礼をもらいます。いつも涙が出るほどうれしくてしかたありません。

お客様の感謝の声は本当に私の原動力になります。

いまでも私は、仕事で疲れてもうやめたいなとか、つらいなと思うことはあります。でも、お客様から感謝をいただくと、「もっと頑張ろう」と思えるし、大変な作業に入る前などでも、以前にもらった手紙を読み返して気持ちを整えるだけで、自分自身すごく前向きに変われます。そのメールや手紙、ブログのコメントにどれほど救われたことか。

将来、私が死んだら、みなさんからもらった手紙を棺桶《かんおけ》に持っていきます。

それこそ、私が生涯をかけてやるべきことのすべてがこのなかにあり、私の誇りなのですから。

私は、お金と時間と場所に縛られない、そんな生き方や働き方が誰にでもできるのだということを、もっと多くの人に知ってもらいたいと思っています。

これからの不安な時代を生き抜くのに、もちろんお金も必要です。だから、副業や起業することは、それはそれで必要です。でも、お金を得たとしても、けっして安心できるわけではないことを知っておいてほしいのです。

あなたが本当に欲しいのはお金でしょうか。

それはあくまで手段にすぎませんよね。手段に目先を奪われて、「何かいいビジネスないかな」とあてもなく探し回るのは、時間と労力のムダではないかと思うのです。

儲かりそうなビジネスを探す前に、本当に欲しいものは何か、もう一度、自分の心に問うてみてほしいのです。

そして、本当に欲しいものが見つかったとき、あなたはすでにすべてを手に入れているはずです。

あなたは、そんな自由な生き方ができるのです。


私はいま、たくさんの人のおかげで満たされながら、いままで以上に大きな夢に挑戦しています。そして、これからその夢を叶えるためには、たくさんの方の協力が必要になってきます。そのとき、この本を読んだあなたから「伊勢さんの本で私の人生は変わりました。一緒に頑張りましょうよ！」と言ってもらえる幸せな妄想を夢見て、ここにペンを置きたいと思います。

あなたの幸せを心から願っています。

<著者プロフィール>
伊勢隆一郎(いせ・りゅういちろう)

1979年、埼玉県川越市生まれ。ライズクリエイティブ代表。セールスコピーライター、マーケッター。

大学時代に仲間と起業するも失敗。借金だけが残り、引きこもりのニート状態に。親からの視線に耐えられず、友人の家に3年間居候させてもらい1日100円以下の食費で毎日を過ごす。

なんとか1人で食べられるようになりたいと、HP制作会社にコピーライターとして売り込み、生まれて初めて13万円の仕事を受注。そのとき起業して1年半が経っていた。

その後、コピーライターとして実力をつけ会社設立。その後インターネットを使ったマーケティングで短期間に売り上げを上げる手法を学び、2005年には売り上げ1億円を突破。2009年には、たった12時間で5億円の注文を受けつけ、一躍ネット界では知られる存在となる。

現在では、会社の売り上げを上げたい、借金を返済したい、もっと自由なライフスタイルを送りたい、経営者として家族を幸せにできる収入を上げたいという人たちにスキルを指導。多くの人たちに夢と希望を与えている。

◆ホームページ　http://www.rise-inc.jp/

〈編集協力〉太田聡
〈カバーデザイン〉小口翔平+西垂水敦(tobufune)
〈本文デザイン&DTP〉沖浦康彦

お金と時間と場所に縛られず、
僕らは自由に働くことができる。

2013年8月 6 日　初版発行
2013年8月29日　5刷発行

著　者　伊勢隆一郎
発行者　太田　宏
発行所　フォレスト出版株式会社
〒162-0824 東京都新宿区揚場町2-18　白宝ビル5F
電話　03-5229-5750(営業)
03-5229-5757(編集)
URL　http://www.forestpub.co.jp

印刷・製本　シナノ印刷株式会社

ISBN978-4-89451-575-8　Printed in Japan

あなたのビジネススキルを
自由自在に使いこなす

新しい働き方を手に入れる
「究極の理解」実現セミナー動画